Divulgación
Grandes Protagonistas de la Historia Mexicana / Biografías

Biografía

Francisco de Icaza Dufour nació en la ciudad de México, en 1944. Abogado y Notario Público es además, desde hace 37 años, profesor de Historia del Derecho Patrio en la Escuela Libre de Derecho. Como historiador se ha especializado en el estudio del pasado colonial mexicano, particularmente en el tema de las instituciones políticas y jurídicas, trabajos que le han sido reconocidos al designársele miembro de número de la Academia Mexicana de Legislación y Jurisprudencia, correspondiente de la Real de Madrid, así como también del Instituto Internacional de Historia del Derecho Indiano. Entre sus obras destaca su reconocido trabajo sobre la *Historia de la Abogacía en la Nueva España*. Tuvo a su cargo la coordinación de la primera edición americana de la obra legislativa del rey Carlos II de España, titulada *Recopilación de las Leyes de los Reinos de Indias*, además de la edición conmemorativa de la famosa e inmortal obra de Bernal Díaz del Castillo, *Historia Verdadera de la Conquista de la Nueva España.* Como biógrafo, ha dado a conocer a importantes figuras del mundo novohispano: Miguel López de Legazpi, Hernán Cortés y Pedro Moya de Contreras.

Francisco de Icaza Dufour

Hernán Cortés

Planeta DeAgostini

Grandes Protagonistas de la Historia Mexicana
Colección dirigida por José Manuel Villalpando

Avenida Insurgentes Sur núm. 1898, piso 11
Colonia Florida, 01030 México D.F.

Diseño de cubierta: Ana Paula Dávila
Ilustración de cubierta: Enciclopedia Gran Historia de México Ilustrada, tomo II,
Planeta DeAgostini, CONACULTA-INAH 2002
Primera edición en Colección Booket: febrero de 2004

Depósito legal: B. 2.371-2004
ISBN: 970-37-0055-1
Impresión y encuadernación: Liberdúplex, S. L.
Printed in Spain - Impreso en España

1. Las mocedades

En las márgenes del Guadiana, "el río de los ojos verdes" como lo llamó el periodista Diego Plata, los romanos erigieron una ciudad que nombraron Metelium Caecilia, en memoria de su fundador, el procónsul Quinto Cecilio Metelo y, una vez romanceada la voz, se llamó Medellín, en el reino de la Extremadura; el nombre por sí mismo explica su clima y dibuja sus paisajes repletos de caprichosas encinas.

Entre el Guadiana y el Tormes

En la actualidad la villa, aunque inmersa en la vida moderna, todavía conserva testimonios mudos de su añeja hidalguía, como el ruinoso castillo que señorea su paisaje y que nos permite evocar a la famosa doña Beatriz Pacheca y sus batallas en contra de los Reyes Católicos, Isabel y Fernando, también subsisten grandes casonas de piedra y hermosa sobriedad, numerosos conventos e iglesias, cuyas campanas todavía llaman a la misa y a rezar el *Angelus*, entre ellas tañen las de San Martín, lugar donde fue bautizado Hernán Cortés hace más de quinientos años. De la casa del conquistador no queda rastro, sólo una placa evoca el sitio en donde se ubicaba, debido a que se cuenta que la arrasó el ejército invasor francés en 1808.

Hacia finales del mes de julio del año del Señor de 1485, nació en ese villorrio extremeño Hernando Cortés Altamirano, hijo de don Martín Cortés Monroy y doña Catalina Altamirano Pizarro, quienes según Gómara, "tenían poca hacienda, pero mucha honra". De acuerdo con Las Casas, quien le tiene poco afecto a Cortés, le hace hijo de un pobre y humilde escudero, aseveración falsa, pues su padre "devoto y pacífico" era un hidalgo empobrecido por las centenarias luchas castellanas, en especial por haber tomado el partido de La Beltraneja, vencida en la batalla de Toro, en las guerras que siguieron para disputar el trono a la Reina Católica. En cuanto a la madre, "muy honesta, religiosa, severa y reservada", también era de familia de hidalgos de solar conocido, emparentada con los Pizarros de la vecina ciudad de Trujillo, a la que perteneció el conquistador del Perú.

Como hijo único, Hernando o Fernando era la esperanza de la familia Cortés y por ello no pararon sus padres en sacrificios para proporcionarle una buena educación y así salir de la pobreza. Por este motivo lo enviaron a Salamanca con la ilusión de verlo convertido en letrado.

Llegó así a la ciudad del Tormes, en la cual todavía existe su famosa y varias veces centenaria Universidad, cuya orgullosa divisa es *Omnium scientiarum princeps Salamantica.* En los días de Cortés era la más prestigiada de toda España y la favorita de los Reyes Católicos, Carlos V se refería a ella como: "El tesoro de donde proveo a mis reinos de justicia y de gobierno". Para el siglo XVI, todo en Salamanca era América, no en balde López de Gómara diría: "La mayor cosa después de la creación del mundo, sacando la encarnación y muerte del que lo crió, es el descubrimiento de las Indias; y así, la llaman Nuevo Mundo".

En las aulas de la Universidad de Salamanca, como alumnos o maestros pasaron ilustres juristas, teólogos, frailes, políticos y burócratas, como: el jurista Palacios Rubios, fray

Retrato de Cortés

Era hombre de gran talento, y destreza, valeroso, hábil en el ejercicio de las armas, fecundo en medios y recursos para llegar al fin que se proponía, sumamente ingenioso en hacerse respetar, y obedecer aun de sus iguales, magnánimo en sus designios y en sus acciones, cauto en obrar, modesto en la conversación, constante en las empresas, y paciente en la mala fortuna. Su celo por la religión no fue inferior a su constante e inviolable fidelidad a su soberano; pero el esplendor de éstas, y otras buenas cualidades, que lo elevaron a la clase de los héroes, fue eclipsado por otras acciones, indignas de la grandeza de su ánimo. Su desordenado amor a las mujeres, ocasionó algún desarreglo en sus costumbres, y ya en tiempos anteriores le había acarreado graves disgustos y peligros. Su demasiada obstinación y ahínco en las empresas, y el temor de menoscabar sus bienes, lo hicieron a veces faltar a la justicia, a la gratitud, y a la humanidad: pero ¿dónde se vio jamás un caudillo conquistador formado en la escuela del mundo, en quien no se equilibrasen las virtudes con los vicios? Cortés era de buena estatura, de cuerpo bien proporcionado, robusto y ágil. Tenía el pecho algo elevado, la barba negra, y los ojos vivos, y amorosos. Tal es el retrato que del famoso conquistador de México nos han dejado los escritores que lo conocieron.

Francisco Javier Clavijero, *Historia antigua de México.*

Bartolomé de las Casas, fray Alonso de la Veracruz, Juan de Ovando, fray Francisco de Vitoria y Juan Ruiz de Alarcón, entre otros, todos ellos relacionados de alguna forma con el espectacular hecho americano, así como con la construcción del imperio en donde nunca se ocultaba el sol.

Con escasos catorce años de edad llegó Cortés a Salamanca y se instaló en la casa de sus tíos, don Francisco Gómez de Valera –notario como su abuelo, don Diego Alfón Altamirano– y su mujer doña Inés de Paz, hermana de su padre. Sólo dos años aguantó aquel mozo vivaz, inquieto y aventurero el dedicarse al estudio de la gramática, como paso previo a la facultad de leyes, y acierta en el refrán que dice: "Lo que natura no da, Salamanca no suple". Cortés no había nacido para las ciencias ni las artes, su vocación era otra muy distinta, pero a pesar de su corta estadía el alumno debió ser muy aprovechado, ya que Bernal Díaz del Castillo afirma que Cortés "era latino, y oí decir que era bachiller en leyes, y cuando hablaba con letrados y hombres latinos respondía a lo que le decían en latín. Era algo poeta, hacía coplas en metro y prosa, y lo que platicaba lo decía muy apacible y con muy buena retórica". Por lo tanto, en Salamanca no obtuvo gran ciencia pero respiró los aires llegados de América y la inquietud entró en su corazón.

De Salamanca pasó a Valladolid, otra ciudad de prosapia universitaria, pero esta vez el objetivo no era el estudio sino el trabajo. Tal vez agobiado por presiones económicas se colocó como empleado de una escribanía adquiriendo ahí conocimientos de gran utilidad para sus siguientes años. Según

Suárez de Peralta: "Aprendió a escribir y tomó notas y estilo describano, lo cual sabía hacer muy bien y al haber estado en dicha villa con el escribano un año, recogió algunos reales y tomó su camino a Italia".

Frustrado el viaje a Italia, lugar en donde pensaba enrolarse como soldado de los ejércitos del gran capitán don Gonzalo Fernández de Córdoba, ya sea por falta de ganas o de dinero, Cortés regresó al hogar paterno en donde se le presentó una nueva oportunidad, hacer carrera en las Indias como acompañante de frey Nicolás de Ovando, comendador de Alcántara, recién designado como gobernador de La Española.

Con los preparativos listos, no sin muchos sacrificios debido a los escasos recursos familiares, los anhelos de Cortés se vieron de nuevo frustrados, en esta ocasión por una damisela, porque el mozo era un mujeriego y al tratar de saltar una tapia arruinada para entrevistarse con la dama, que era casada, se derrumbó la pared causando un gran estruendo, apareció el marido lleno de ira y dispuesto a matar al maltrecho galán, quien salvó su vida gracias a los gritos, ruegos y sollozos de la suegra del cornudo. Como se verá más adelante, las mujeres en la vida de Cortés jugaron siempre un papel sobresaliente.

Repuesto de la caída y del susto, el joven Cortés obtuvo de sus padres tanto la bendición como los fondos necesarios para marcharse rumbo a las Indias, tomó el camino a Sevilla, "puerta y puerto" del Nuevo Mundo, la cual afirma Guzmán de Alfarache: "Era patria común, dehesa franca, nudo ciego, campo abierto, globo sin fin, madre de los huérfanos y caja de pecadores donde todo es necesidad y ninguno la tiene; o si no, la Corte, que es la mar que todo lo sorbe, y a donde todo va a parar". Mientras esperaba la oportunidad para embarcarse, se empleó en una escribanía del lugar para subsistir y reunir algunos fondos.

La carrera de Indias

En el año de 1504, a la edad de diecinueve años, aproximadamente, Cortés se embarcó en el barco *Trinidad*, en el puerto de Sanlúcar de Barrameda, propiedad de Alonso Quintero, vecino de Palos de Moguer. En él cruzó el *Mare Tenebrosum* develado por Colón y luego de una travesía aproximadamente de treinta días y sufriendo grandes incomodidades: durmiendo en el suelo de la cubierta, soportando las inclemencias del tiempo y los hedores de los animales transportados en la embarcación –que servían para el sustento de los pasajeros o para su crianza en América–, la escasez de agua dulce y la falta de medios sanitarios, lo obligaron finalmente a desembarcar durante la Pascua Florida de ese mismo año en Santo Domingo, capital primada de América.

La ciudad de Santo Domingo en esa época, dice Hugh Thomas, era una Babel, donde se entremezclaban marineros, soldados, labradores, comerciantes, etcétera. La fundó Bartolomé Colón en las márgenes del río Ozama y más tarde fue arrasada por un ciclón, después la volvió a instaurar el

Deseos de fundar

> En el espíritu español predominaba la voluntad de fundar. Todos querían ser fundadores de órdenes, de conventos, de casas y de mayorazgos. Hernán Cortés funda como luego Santa Teresa; y los Santos conquistan como el "cortesísimo Cortés". Ambición de durar, anhelo de inmortalidad, voluntad de imperio sobre lo real. ¡No haber pasado en vano! Espíritu admirable, opuesto al senequismo de que habla Ganivet. Fundidos Don Quijote y Sancho saldría un gran hombre equilibrado, uno de aquellos varones en que lo vasto y lo profundo no impedía lo minucioso y prolijo. Aliar a lo quimérico la facultad de pormenor, consistió a los españoles ser emprendedores, ya emprendiesen un descubrimiento, ya la reforma de una religión. No iban por el mundo en busca de honras livianas. Sabían, a diferencia de Don Quijote, las ventajas de tener camisa, y que un andante no está dispensado de usarla.
>
> MANUEL AZAÑA,
> *EL "IDEARIUM" DE GANIVET*

gobernador Ovando. Su nombre lo debe al día de su fundación, festividad de Santo Domingo de Guzmán, aunque hay quienes opinan que fue en recuerdo del padre –Domenico– de los hermanos Colón, aunque al almirante le gustaba llamarla la Nueva Isabela, en honor de la reina Católica. Para cuando Cortés llegó a la ciudad, ésta ya estaba trazada, quizá existían algunas casas de piedra y estaba iniciada la construcción de los grandes conventos que aún existen. Por el año 1520, el primer obispo de la diócesis de Santo Domingo, Alejandro Geraldini, escribió en su itinerario: "Los edificios son esbeltos y bellos al estilo de Italia. El puerto tiene calado para las naves de Europa. Las calles son amplias y rectas de tal modo que las de Florencia se pueden parangonar con ellas. Vi surgir en nuestro tiempo la magnificencia de tiempos ya idos".

A lo largo de su travesía por el Atlántico, el joven Cortés debió soñar con obtener pronto grandes riquezas, quizá pensó encontrarse en el Nuevo Mundo con ríos de oro, con las fabulosas siete ciudades de Cíbola o el legendario Dorado, pero la realidad era muy distinta y pronto se la hizo ver un tal Luis de Medina, quien le dijo que para encontrar oro era necesario trabajar duro y, además tener suerte. En ese sentido, el mozalbete, con buen tino, juzgó que lo idóneo era buscar la ayuda de su poderoso pariente, el gobernador Ovando, quien no tuvo inconveniente en prestarle ayuda, concediéndole una pequeña encomienda y el cargo de escribano en la población de Azúa de Compostela, recién fundada a más de noventa y cinco kilómetros de Santo Domingo, en donde estableció su morada por espacio de cinco o seis años. Se dedica a la granjería en espera de alguna oportunidad para alcanzar fama y riqueza.

La villa de Azúa, con una población menor a 1,000 habitantes, pronto quedó estrecha para el espíritu aventurero del extremeño. En 1511, aproximadamente, debieron llegar a sus oídos los violentos reclamos expuestos en defensa de los indios, por fray Antón de Montesinos, en su famoso sermón durante la misa en un domingo de adviento y constituye el acta de nacimiento de la doctrina de los derechos humanos. En ese mismo año, don Diego Colón, hijo del Almirante y gobernador de La Española, otorgó el cargo de teniente del gobernador a Diego de Velázquez, confiándole la conquista y colonización de la vecina isla de Cuba, lugar al cual partió al frente de cuatro embarcaciones con trescientos hombres, entre los que se encontraba Cortés, quien era el encargado de las cuentas de la Real Hacienda.

La empresa no fue difícil, en Cuba no había indios bravos, de esta manera resultó muy agradable para el obeso Diego de Velázquez, cuya principal habilidad consistió siempre en adjudicarse y lucrar con las glorias ajenas.

Cortés se avecindó en la recién fundada ciudad de Asunción de Baracoa, lugar donde se dedicó a la crianza de ganado y a trabajar la escribanía que le fue concedida, también se asoció en algunos negocios con Velázquez, lo cual le permitió formar una regular fortuna. Además del ejercicio notarial, durante su estancia en Cuba, Cortés también fungió como alcalde de primer voto en el ayuntamiento de la ciudad de Santiago; con este cargo no sólo adquirió conocimientos en la materia judicial, sino también sobre la institución municipal, los cuales le serían de gran utilidad más adelante, para la legitimación de su empresa en la Nueva España.

Una boda por una empresa

En Cuba, bautizada primero por su descubridor Cristóbal Colón como Juana –en honor de la hija de los Reyes Católicos–, se cruzó en la vida de Cortés una mujer, pero esta vez con buena fortuna. Doña Catalina de Xuárez, conocida como

La Marcayda, había llegado con su familia primero a Santo Domingo, como parte del séquito de la virreina doña María de Toledo, esposa de Diego Colón. Pronto las hermanas Xuárez consiguieron maridos buenos y ricos, muy al gusto de su madre. Cortés pretendía a doña Catalina, mientras que Velázquez a otra de sus hermanas. Después de seducir a la joven Catalina, se vio obligado a cumplir la palabra de matrimonio que le había ofrecido, Cortés se negó, esto provocó el enojo de Velázquez, quién lo mandó apresar para obligarlo a cumplir sus promesas. El matrimonio de Cortés con *la Marcayda*, finalmente le valió para congraciarse con Velázquez y ser escogido para comandar una expedición a las fascinantes tierras a las cuales se habían aventurado Francisco Hernández de Córdoba y Juan de Grijalva.

Como Grijalva demoraba en su regreso a Cuba y las expediciones de Olid y de Alvarado, enviadas en su búsqueda, regresaron sin noticias, aunque con algunas baratijas de oro, pluma y algodón, Velázquez se emocionó tanto con sus relatos y la expectativa de obtener grandes riquezas, que decidió armar una nueva empresa, pero, como afirma Gómara, "tenía poco estómago para gastar, porque era codicioso, y quería enviar armada a costa ajena", de esta forma y a pesar de las diferencias surgidas con Cortés, recurrió a él porque ya contaba con una buena fortuna, le propuso asociarse a medias en la empresa y como éste "tenía mucho valor y deseos, aceptó la compañía, el gasto y la marcha".

Para todas las empresas indianas, el primer requisito a cumplir era obtener la real licencia contenida en una capitulación. Con ese motivo, los socios enviaron a Juan de Saucedo a La Española, para entrevistarse con los frailes jerónimos, quienes eran encargados del gobierno del Nuevo Mundo. Como representantes del rey, los frailes capitularon y otorgaron la licencia para armar la expedición que iría en busca de Grijalva, con la posibilidad de hacer intercambios con los indios durante el trayecto, es decir, permutar mercaderías por oro.

Mientras regresaba Saucedo, Cortés se entregó de lleno a organizar la expedición, habló con sus amigos para conseguir socios, dinero y provisiones, compró un bergantín y una carabela, mientras que Pedro de Alvarado aportó otra carabela, Velázquez un bergantín más, también adquirió armas, municiones, bastimentos y trescientos hombres dispuestos a enrolarse en la empresa como verdaderos socios, su participación iría en proporción a sus aportaciones como a su trabajo.

La sociedad entre Cortés y Velázquez quedó formalizada el 23 de octubre de 1518, ante el escribano público y real, Alonso de Escalante. Por desgracia para Cortés y sus amigos, regresó Grijalva a Cuba de manera sorpresiva y el mezquino Velázquez no sólo pretendió incumplir con los compromisos contraídos en la empresa cortesiana, sino que también intentó deshacer el trato para armar por su cuenta la empresa contando con las naves devueltas por Grijalva, para conseguir, entre otras cosas, el cargo de adelantado de Yucatán. Cortés, como buen escribano y mejor leguleyo, recordó que los pactos celebrados de manera legal deben ser cumplidos en forma puntual y además contaba con la licencia de los

Con sus palabras

> Muchas veces fui de esto por muchas veces requerido, y yo los animaba diciéndoles que mirasen que eran vasallos de vuestra alteza y que jamás en los españoles en ninguna parte hubo falta, y que estábamos en disposición de ganar para vuestra majestad los mayores reinos y señoríos que había en el mundo, y que demás de hacer lo que como cristianos éramos obligados, en pugnar contra los enemigos de nuestra fe, y por ello en el otro mundo ganábamos la gloria y en éste conseguíamos el mayor prez y honra que hasta nuestros tiempos ninguna generación ganó.
>
> HERNÁN CORTÉS,
> *SEGUNDA CARTA DE RELACIÓN*

jerónimos para efectuar la empresa. De esta manera decidió recurrir a los comerciantes para obtener préstamos, conseguir un mayor número de socios, vender sus bienes para suplir el dinero retirado por Velázquez y completar el abastecimiento de la expedición en la que había puesto todas sus esperanzas para obtener tanto riquezas como un lugar en la historia.

2. Los trabajos de Odiseo

Cortés supo que Velázquez lo iba a traicionar retirándole las licencias para emprender la expedición, por ese motivo decidió tomar la delantera y apresuró su salida. Apenas había reunido cerca de ochenta hombres para conformar su hueste y no contaba aún con los bastimentos suficientes para el viaje, cuando una noche convocó a sus soldados para explicarles la situación y la necesidad de abandonar Cuba. Lo más importante en el discurso de Cortés, recogido por Cervantes de Salazar, fue la explicación de los motivos del viaje, conceptos que habrían de repetirse después en varias alocuciones del conquistador.

Las razones del leguleyo

El hombre de Medellín, al enterarse del famoso sermón de Montesinos, así como de las posturas doctrinales vertidas tanto por los teólogos como por los juristas convocados por el rey para las reuniones en las ciudades de Burgos y Valladolid

(1511-1512), llegó a la conclusión que los derechos de Castilla sobre las tierras descubiertas por Colón tenían su fundamento en la bula *Inter Caetera* (1493) de Alejandro VI, en la cual, basado en su potestad universal, el papa hizo donación a los reyes de Castilla y a sus sucesores de las tierras descubiertas y por descubrir situadas al occidente de las Islas Azores y Cabo Verde, con la obligación de realizar la evangelización de los habitantes de esas tierras. De acuerdo con estas opiniones, en su alocución Cortés hizo hincapié en que la expedición tenía por objeto "primeramente, ser los primeros que, poblando, plantareís la fe católica". Atendida la evangelización como fin primordial del Estado español en las Indias, deberían proveer de lo necesario para la civilización de aquellos seres, organizándolos en verdaderas repúblicas o comunidades, además de dotarlos de leyes e instituciones necesarias para la convivencia, "y pondréis en policía aquella gente bárbara, que es tanta en número que no se puede numerar".

En un segundo plano, Cortés señaló en su discurso que una vez logrados los fines primordiales, "Su majestad el rey, nuestro señor, tendrá en cuenta con vuestras personas como con primeros conquistadores; daros ha renta, haceros ha señores de vasallos, y honraros ha, como confío que hará cuando sepa vuestros señalados servicios". En todas las expediciones españolas hacia las Indias, después de lograr su objetivo, que consistía en descubrir, conquistar o poblar, entre otras cosas, la corona supuestamente debía premiar al capitán y sus huestes con mercedes diversas en proporción a sus esfuerzos y aportaciones, estas canonjías podían ser la concesión de cargos públicos, rentas, lotes urbanos, tierras de cultivo o de pastoreo, etcétera.

Cortés, como buen leguleyo y escribano, debió tener conocimiento de las leyes castellanas, las cuales prescribían de manera expresa acerca de la obligación del rey de premiar (honrar) a sus súbditos por los servicios prestados. Según las partidas de don Alfonso, *El Sabio,* el rey debe: "Poner a cada uno en el lugar que le conviene por su linaje o por su bondad o por su servicio" y "mantenerle en él, *non faciendo* porque lo hubiese de perder". Acto seguido, debe honrar a cada uno de palabra "loando los buenos hechos que le hicieron, de manera que ganen por ende fama y buena prez". Por último, el rey debe querer "que los otros lo razonen así y honrándolo será él honrado por las honras de ellos".

En último lugar, Cortés señaló a la fortuna: el hecho de obtenerla fue el principal motor de las empresas hispanas en los territorios de las Indias. Desde la primera de estas empresas –la colombina– se formaron otras como negociaciones mercantiles en las que existían socios capitalistas, como el propio Colón, los Reyes Católicos, Luis de Santangel, el duque de Medinacelli. Otros aportaron bienes como los Yáñez Pinzón con su nave, otros más modestos pusieron caballos, ganados, armas, todo género de provisiones y los más humildes cooperaron sólo con su esfuerzo personal. Todos ellos lo hacían con la esperanza, como en toda empresa comercial, de alcanzar el mayor lucro posible en proporción a sus esfuerzos y aportaciones. Todo lo anterior nos explica por qué la ambición, la sed de oro y el afán de riqueza de todos esos

> Marina y Cortés, frente a frente, eran como el primer hombre y la primera mujer, como los creadores de una raza, como la primera pareja de cualquier especie. Les ganaba la magia de su encuentro... Eran el centro del mundo, perdidos en el mundo, sin recuerdos, sin infancia, recién nacidos al amor y a la noche... Eran el centro del mundo y el mundo giraba en su torno, y Hernán Quetzalcóatl amaba a la mujer y amaba a la tierra.
>
> RAFAEL GARCÍA SERRANO, *CUANDO LOS DIOSES NACÍAN EN EXTREMADURA.*

hombres que habían dejado atrás sus hogares, un precario bienestar y una seguridad cómoda, para arriesgar sus vidas y haciendas, con la mira de obtener alguna mejoría en sus vidas. Eran, según Fernández de Oviedo, "hombres de bien, que nacieron pobres y obligados a seguir el hábito militar, que es una regla harto más estrecha que la de Cartuja, e de mayor peligro". Además, señala José Antonio Maravall: "La codicia insaciable era un factor necesario para que se diera una actitud renacentista y general en todo el mundo social europeo". La expedición de Cortés, desde luego no fue la excepción, el mismo capitán empeñó en ella toda su fortuna y de forma semejante lo hicieron todos sus hombres en mayor o menor proporción, entre sus objetivos estaba el que "como valerosos busquéis vuestra fortuna y os enseñoréis della".

Después de muchos trabajos realizados con el mayor sigilo y a toda prisa por huir de Velázquez, el 15 de noviembre de 1518, después de una misa para encomendar la empresa a Dios, Cortés se hizo a la mar en Santiago de Cuba con destino a Trinidad, otra población de la misma isla, lugar donde recibió hospedaje en la casa de Grijalva, allí se le unieron los cinco Alvarado y los capitanes Juan Velázquez de León, Gonzalo de Sandoval, Cristóbal de Olid y Alonso Hernández de Portocarrero. Desde este punto partió rumbo a La Habana, en donde apenas habían llegado instrucciones de Velázquez para aprehenderlo; para su fortuna nadie se atrevió a cumplirlas y con tranquilidad pudo cargar sus naves con algunas cosas más, durante ocho días. El 18 de febrero de 1519 partió rumbo al cabo de San Antón, lugar en donde se le unió el piloto Antón de Alaminos, compañero de Colón en su cuarto viaje.

La armada quedó integrada con 110 marineros, 508 capitanes y soldados, 16 caballos, 10 cañones de bronce, 4 falconetes, 13 arcabuces, además de los integrantes tradicionales de toda expedición que, según señala el historiador chileno Bravo Lira, eran el capitán (en este caso Hernán Cortés), los religiosos portadores de la buena nueva, Juan Díaz, así como el mercenario Bartolomé de Olmedo y, por último, el escribano Diego de Godoy, ministro de fe indispensable en toda empresa de descubrimiento, conquista o colonización.

Al frente de once navíos, cada uno con su respectivo capitán y piloto, con Antón de Alaminos como piloto mayor y Cortés en la nave capitana, una vez en alta mar, nombró a sus capitanes y pilotos, además de que según la costumbre invocó la protección del señor San Pedro, el santo patrono que le había librado de una muerte temprana y que le fue asignado en su lejana infancia por suertes de su nodriza. Las naves surcaron a toda vela las aguas del Caribe para seguir el mismo derrotero de Juan de Grijalva, mientras en la nao capitana, llamada *Santa María de la Concepción*, que contrastaba con el azul del cielo, ondeaba la bandera diseñada por el propio Cortés, inspirada en la historia constantiniana y descrita por Gómara, como "de fuegos blancos y azules con una cruz colorada en medio; y alrededor un letrero en latín que rezaba: hermanos, sigamos la señal de la Santa Cruz y con fe verdadera y con este signo venceremos". Cortés tenía para entonces treinta y cuatro años de edad.

El primero en arribar a Cozumel fue el inquieto Pedro de Alvarado, capitaneando el navío *San Sebastián*. Cortés llegó tres días después con el resto de la expedición y se encontró con la noticia de que al desembarcar Alvarado, los indios habían huido despavoridos y éste se había apoderado de las cosas de valor que encontró, además de algunos indios para esclavizarlos. Informado Cortés de lo sucedido, reprendió a Alvarado, además de poner en libertad a los indios y restituirles los objetos robados. En opinión de Esquivel Obregón, esta acción era "la noticia de que comenzaba para aquel país una vida nueva". Después subió el capitán a un pequeño oratorio y plantó una cruz de madera, el sacerdote Juan Díaz ofició una misa, la primera en territorio mexicano y al terminar encomendó a los indios la veneración y custodia de la Santa Cruz.

Sin demorarse más partieron de Cozumel las embarcaciones, aunque se quedó un tanto rezagada la nao capitana en la que iba Cortés, cuando vieron aproximarse a la playa unas barcas con indígenas semidesnudos que gritaban. Para sorpresa del capitán, uno de esos hombres era español, se trataba del diácono Jerónimo de Aguilar, quien fuera víctima de un naufragio al llegar hasta estas playas para ser esclavizado por los indios. Fray Agustín de Ventacurt, al igual que otros historiadores, narra que en los primeros días de marzo de 1519, al acercarse Aguilar a los españoles, gritó: "Dios, Santa María, Sevilla" y corriendo hacia ellos los abrazó. "Al punto fue avisado Cortés, que lo salió a recibir; y preguntaban todos por el español, que en nada se diferenciaba de los indios, por estar prieto y trasquilado. Preguntó Cortés cuál era el español, sentóse en cuclillas y respondió: 'Yo soy: llámome Jerónimo de Aguilar, natural de Écija, que pasando del Darién a Santo Domingo (ocho años atrás) con quince hombres y dos mujeres y 10,000 pesos del rey y con un proceso de los pleitos de Basco Núñez, las corrientes nos echaron al cabo de Catoche, donde los caciques nos llevaron: los más fueron crucificados y aunque quedó Gonzalo Guerrero, marinero, está ya casado; yo soy de evangelio ordenado y he quedado por la misericordia del Señor para venir a vuestra compañía. En estas horas que me han acompañado, he procurado encomendarme a su divina Majestad'. Preguntole Cortés por la letra dominical de aquel año, y en qué día se hallaba; y díjolo como era. Mandole vestir y abrazole con cariño, dando gracias a Dios, e hizo que les predicase en la lengua, pues la sabía, a los indios, y les encargase la devoción a la Santa Cruz y a la imagen de Nuestra Señora que les dejaba, y así lo hizo". El marino paleño, de nombre Gonzalo Guerrero, aludido por Aguilar, también fue víctima del naufragio, para entonces vivía con una tribu de indios unido con la hija del cacique, con quien había procreado varios hijos y al informarle de la llegada de la expedición e invitarle para unírseles, él se negó argumentando: "Hermano Aguilar: Yo soy casado y tengo tres hijos, y ténenme como cacique y capitán cuando hay guerras; idos con Dios, que yo tengo labrada la cara y horadadas las orejas. ¡Que dirán de mí después que me vean esos españoles ir de esta manera! Y ya veis estos mis hijitos cuán bonicos son. Por vida vuestra que me deis de estas cuentas verdes que traéis para ellos, y diré que mis hermanos me las envían de mi tierra". Mientras que su mujer, una dama bien bragada, en su lengua dijo a Aguilar: "Mira con qué viene este esclavo a llamar a mi marido; idos vos y no curéis de tener pláticas". Gonzalo Guerrero y su mujer fueron padres de los primeros mexicanos, producto del mestizaje de dos razas unidas por amor y no como algunos lo pretenden, producto de la violencia.

La primera batalla

Las naves continuaron su viaje bordeando la península de Yucatán, para seguir después por las costas del golfo de México, y llegar a la desembocadura del río Grijalva, en el actual estado de Tabasco. Los españoles se detuvieron en ese río para proveerse de agua y los indios envalentonados por la derrota que le provocaron desde hacía tiempo a Hernández de Córdoba, se mostraron hostiles. Cortés, al ver su actitud, envió una embajada para pedirles permiso de abastecerse de agua e invitarlos para intercambiar oro y mercancías. Como los indios no cambiaron su actitud belicosa, Cortés y sus hombres se prepararon para darles batalla no sin antes leer, ante la fe del escribano público, el famoso requerimiento redactado por don Juan López de Palacios Rubios, ilustre jurista de la época y asesor de los Reyes Católicos; en este documento se les informaba de la existencia de un solo Dios, cuyo hijo único, Jesucristo, había confiado a San Pedro encabezar su iglesia y un sucesor de éste, llamado Alejandro VI, había hecho donación de esas tierras a los Reyes Católicos, por consecuencia a esta donación, les requerían aceptaran someterse como vasallos del rey de Castilla o de lo contrario les harían la guerra. Aguilar tradujo el requerimiento en maya, idioma que dominaba después de diez años de cautiverio entre los indios, al no haber respuesta, los españoles al grito de "¡Santiago y a ellos!", iniciaron la carga.

Como los indios no cedieron, al siguiente día se iniciaron nuevas hostilidades, aunque ya Cortés había enviado al indio Melchorejo con mensajes de paz, pero éste lejos de transmitirlos les incitó a la lucha, que en esa ocasión se inició por parte de los españoles utilizando la caballería, sembrando el pánico entre los indios al enfrentarse a esos monstruos, desconocidos para ellos.

Cortés salió triunfante y benévolo dio la libertad a los prisioneros hechos en campaña; por su parte los indios aceptaron convertirse en vasallos de Carlos V y les hicieron muchos obsequios, y les dieron a un grupo de mujeres, entre ellas se encontraba *la Malinche,* conocedora de las lenguas maya y mexica. Ésta fue la primera victoria militar de Hernán Cortés y según algunos de los participantes en ella se apareció el apóstol Santiago, acto que hizo en otras ocasiones, cabalgando en un caballo blanco y llevando en una mano una bandera con una cruz bordada en gules sobre campo blanco y en la otra mano su espada flamígera, provocando el espanto entre los indios, aunque Bernal confiesa que no pudo ver el milagroso suceso debido a sus ojos pecadores.

Después de efectuado este tratado de amistad y alianza entre Cortés y los indios tabasqueños, el capitán siguió su derrotero costeando el golfo de México, hasta llegar a la isla de San Juan de Ulúa, en donde sostuvo la primera entrevista con los enviados de Moctezuma, quienes le hicieron entrega de ricos presentes en nombre del emperador. Por su parte, Cortés les manifestó sus deseos de entrevistarse con su señor, obsequiándoles comida y algunos regalos.

Después de la entrevista siguieron otras, verificadas con el gobernador de estas tierras llamado Tendile y por sus pláticas, Cortés pudo percatarse de los temores que abrigaba Moctezuma acerca de su llegada y también de que los aztecas se habían apoderado de las tierras por medio de la violencia, manteniendo sojuzgados por la fuerza a sus moradores, que muy ansiosos de sacudirse el yugo podían ser sus enemigos.

Ante estas circunstancias escribió al emperador: "E aún acordeme de una autoridad evangélica que dice: *Omne Regnum in se ipsum divisum desolabitur*" (todo reino dividido en sí mismo será destruido). En este punto se muestra la genialidad de Cortés como político y su agudeza acerca de sus observaciones tanto de las personas como de las sociedades, debido a que desde los primeros momentos de contacto con el imperio mexica, percibió su fragilidad y su posible derrumbe por medio de una alianza con sus infinitos enemigos. Pretender la conquista de un imperio con 500 hombres no sólo era una temeridad, era un disparate, pero las alianzas con otros pueblos hicieron que cambiaran la perspectiva, la decisión lógica fue quedarse, pelear y conquistar.

Por la legitimación de la obra

El primer acto encaminado para conseguir sus fines fue buscar el sitio idóneo para establecer el primer asentamiento español, un lugar salobre con abundante agua, en donde pudiera construirse un puerto para el buen resguardo de los navíos.

Después de encontrar el sitio, Cortés mandó descargar los barcos y sentó allí sus reales, cuando supuestamente fue sorprendido por varios de sus capitanes para requerirle de manera formal ante la fe del escribano Pedro Fernández, poblar esas tierras en nombre del rey. De acuerdo con las leyes y costumbres castellanas, Cortés no tenía otra alternativa que acatar el requerimiento de sus hombres, cuya finalidad era el mejor servicio del rey y proceder a la designación de los miembros del cabildo del primer municipio de la América continental, el de la Villa Rica de la Veracruz, llamado así por la riqueza de sus tierras y por haberse construido en la festividad del viernes santo de 1519 (22 de abril). De acuerdo con la tradición castellana, el flamante concejo quedó integrado por Francisco de Montejo y Alonso Hernández de Portocarrerro como alcaldes ordinarios; Pedro de Alvarado, Alonso de Ávila Escalante y Alonso de Grado como regidores; el cargo de alguacil fue para Gonzalo de Sandoval; el de procurador para Francisco Álvarez Chico, y Diego Godoy fungió como escribano.

Instalado el cabildo, ante la fe del escribano capitular, Cortés renunció a su cargo de capitán general y entregó las instrucciones de Velázquez. Los capitulares pusieron los documentos sobre sus cabezas en señal de profundo respeto e hicieron saber a Cortés la caducidad de sus poderes, además le pidieron que abandonara el lugar. De esta manera, el antiguo escribano de Azúa quedó liberado de cualquier culpa, pues era totalmente ajeno a los sucesos. En tanto, los alcaldes convocaron a la población para informarle de los hechos que se presentaron, por aclamación acordaron designar a Cortés como capitán general y justicia mayor de las nuevas tierras. Al tener como expiradas las instrucciones de Velázquez para rescatar el oro de los indios, por el mejor servicio del rey, tomaron la decisión de proceder a la conquista y colonización de esos territorios.

Cortés como buen conocedor de la ley y de la institución

> Y luego comenzó con gran diligencia a poblar y a fundar una villa, a la cual puso por nombre la Rica Villa de la Veracruz y nombronos a los que la presente suscribimos, por alcaldes y regidores de la dicha villa, y en nombre de vuestras reales altezas recibió de nosotros el juramento y solemnidad que en tal caso se acostumbra y suele hacer.
>
> *Justicia y regimiento de la Rica Villa de la Veracruz, Primera Carta de Relación.*

capitular, sabía de la irregularidad de su empresa debido a la revocación de su cargo hecha por Velázquez, además de que la capitulación realizada con los Jerónimos, sólo le autorizaba para rescatar oro de los indios y no para colonizar. Estos problemas quedaron zanjados al crear un municipio, el cual estaba fuera de la jurisdicción territorial de la gobernación de Cuba.

De acuerdo con los antecedentes históricos, así como con la legislación de Castilla, la voluntad popular era suficiente para instalar un municipio y Cortés no podía oponerse a estos deseos. Por otra parte, como única autoridad en la América continental, dependiente sólo de la persona del rey, el ayuntamiento y la población de la Villa Rica podían designar a su capitán y en servicio de Dios y del rey, proveer todo lo necesario para efectuar la colonización y la subsiguiente conquista. De esta manera quedaba salvada la legalidad de la empresa ante las autoridades de La Española, ante Velázquez y ante el propio rey, quien en su momento no tuvo más elección que absolver a Cortés y ratificarle sus cargos. Éste fue su primer gran triunfo jurídico.

Los amadises de América

De aquí en adelante, el objetivo primordial del capitán fue concertar una entrevista con el poderoso Moctezuma, con el fin de obtener su reconocimiento como vasallo del emperador Carlos V. Sin embargo, entre los hombres de Cortés existían muchos partidarios de Velázquez, así como hombres deseosos de volver a Cuba, por no arriesgarse en esas tierras desconocidas. Para evitar que huyeran los inconformes, Cortés mandó a sus hombres que sacaran de los barcos los aparejos y todos los objetos de utilidad, después ordenó barrenar los navíos, haciendo imposible cualquier huida. Destruidas las naves dijo a sus hombres: "Señores y amigos míos, a lo hecho no hay remedio; Dios parece que quiere seamos los primeros que señoreemos tan grande y próspera tierra; los que de vosotros no quisieres participar de tan buena andanza, queriendo más volveros a Cuba que ir conmigo en demanda de empresa tan señalada, lo podéis hacer, que para esto queda ahí un buen navío, aunque yo no sé con que cara podéis volver, quedando conmigo tantos y tan buenos caballeros". El único navío que sobrevivió a la orden lo reservó Cortés para enviar procuradores a España a informar a Carlos V de su expedición.

El hecho de destruir sus naves fue suficiente para colocar a Cortés en la historia universal, junto con los más grandes conquistadores. Cualquiera que sea nuestra opinión al respecto, sólo podemos admirarnos de semejante temeridad, si se considera que las tierras a las cuales pretendía aventurarse le eran desconocidas y además estaban habitadas, según cálculos, por cerca de cuatro millones de seres humanos y por más acertadas que hubieran sido las previsiones políticas hechas por Cortés, debió contar con la volubilidad humana, que de haberse dado, la expedición hubiera terminado en tragedia y ni un solo español hubiera vivido para contarlo. En estas circunstancias, se pueden recordar las palabras de Octavio Paz: "A Cortés es difícil quererlo, pero es imposible dejar de admirarlo".

Sin posibilidades de regreso y por no quedar como cobardes, los integrantes de la expedición no tuvieron más remedio que seguir a su capitán, quién decidió internarse en el territorio mexicano. En primer lugar, visitaron la ciudad de Zempoala, cuya grandeza y seguridad admiró a los españoles, allí también vieron con horror los templos ensangrentados por los sacrificios humanos, según lo narra con repugnancia Bernal Díaz del Castillo. En esta población totonaca, cercana a la Villa Rica, el capitán fue recibido con gran gusto y agasajo por el cacique llamado Pitalpitoque, cuya gordura apenas si le permitía moverse. Según las costumbres indígenas, agasajó a sus nuevos amigos al obsequiarles mujeres, entre las cuales se encontraba la sobrina del propio cacique entregándola al mismo Cortés, para su desgracia la joven era la más fea del grupo, poniéndolo en graves aprietos y valiéndose de quién sabe qué suertes, se la endosó a alguno de sus acompañantes, sin agravio del amistoso cacique. Según sus previsiones, Cortés vio incrementado su ejército con los aliados totonacos y siguió rumbo a Tlaxcala, el pueblo enemigo más poderoso de Moctezuma, que estaba libre de la dominación mexica y que en ese momento lo contempló como su más fuerte aliado.

Antes de internarse en el territorio tlaxcalteca, Cortés mandó a cuatro embajadores totonacas para obtener el permiso de cruzar esas tierras. Los enviados cumplieron su cometido y se presentó ante los cuatro señores de Tlaxcala, quienes los escucharon con atención y le dijeron que sus peticiones debían ser sometidas a la decisión del senado. En éste se formaron dos grupos con opiniones opuestas, uno estaba conforme con permitir el paso de los españoles, en tanto que el otro era partidario de hacerles la guerra. Mientras estaban en esta discusión, surgió la propuesta de Temiloltecatl, la cual consistía en permitirles el paso y una vez dentro atacarlos con tropas otomíes, de esta forma "si quedamos vencedores, dijo, será inmortal la gloria de nuestras armas: si somos vencidos echaremos la culpa a los otomíes, y daremos a entender que emprendieron la guerra sin nuestra orden". No obstante, de su vileza y mala fe, la solución fue aceptada y para tal empresa quedó a cargó el joven guerrero Xicoténcatl.

Ante la demora de sus embajadores, Cortés supuso que los tlaxcaltecas aceptaban y confiado se internó en sus tierras, al poco tiempo descubrió algunos indios armados, por lo que mandó a la caballería a darles alcance, lo que dio como resultado dos caballos muertos y tres hombres heridos. En seguida se presentó un ejército de aproximadamente 4,000 hombres, Cortés y su ejército se enfrentaron a ellos, consiguiendo en breve tiempo la victoria. Poco duró el gozo del español, pues a los pocos días advirtió un nuevo contingente conformado por unos 1,000 hombres, después de hacerles un requerimiento de manera formal y notificarles que no les harían daño, Cortés vio cómo sus reconvenciones eran inútiles y dio orden de rechazarlos. Los tlaxcaltecas en pausada retirada, fueron conduciendo a los españoles hacia unos barrancos en donde los esperaba un ejército mayor de 50,000 hombres. Cortés sorprendido, exhortó a su ejército diciéndoles: "Señores, acordáis que sois cristianos y españoles, y que ahora es menester de vuestro animoso corazón aunque la nación nuestra se señala entre todas las del mundo; mirad que peleáis por Jesucristo por defender su honra y vuestra vida. ¡Esfuerzo, esfuerzo, que Dios es con nosotros y éstos no pueden durar mucho!". Como el campo era llano, Cortés iba al frente de la caballería, al mismo tiempo que su ejército disparaba la artillería causando a los tlaxcaltecas grandes daños, obligándoles a retirarse sumidos en la derrota. A esta victoria le siguieron otros enfrentamientos de los cuales Cortés y sus hombres salieron airosos, hasta que por último, los de Tlaxcala bastante maltrechos optaron por hacer la paz, atemorizados por una posible alianza entre los españoles y Moctezuma, cuyos embajadores habían realizado durante este tiempo varias entrevistas con Cortés. Éstos fueron los primeros triunfos de un experimentado escribano que un día se convirtió en un guerrero improvisado.

Situación en Cholula

> E luego vinieron todos los más principales, e a los que pareció ser señores, hasta treinta de ellos metió el marqués en un patio pequeño de su aposento, e les dijo: Dicho os he verdad en todo lo que con vosotros he hablado, y mandado he a todos los cristianos de mi compañía que no os hagan mal, ni se os ha hecho, e con la mala intención que tiniedes me dijistes que los de Tascala no entrasen en vuestra tierra; y mangüerno me habéis dado de comer como fuera razón, no he consentido que se os tome una gallina, y héos avisado que no me mintáis; y en pago de estas buenas obras tenéis concertado de matarme, y a mis compañeros, e habéis traído gente para que peleen conmigo, desque esté en el mal camino por do me pensáis llevar; e por esta maldad que teníades concertada, moriréis todos, e en señal de que sois traidores, destruiré vuestra ciudad, sin que más quede memoria de ella: e no hay para que negarme esto, pues lo sé como os lo digo.
>
> ANDRÉS DE TAPIA,
> *RELACIÓN.*

La gran alianza

El joven general Xicoténcatl, al frente de una numerosa comitiva se presentó ante Cortés llevándole algunos regalos, le saludó en nombre de su pueblo y justificó las hostilidades con el pretexto de que creían que era aliado de Moctezuma, los embajadores de éste aún presentes, le reclamaron al español su credulidad a la perfidia de los tlaxcaltecas. Cortés se dio por satisfecho con las excusas de los de Tlaxcala, pero les exigió una paz sincera y perdurable, advirtiéndoles que de lo contrario tomaría en su contra una terrible venganza que serviría de ejemplo para los demás pueblos.

A pesar de que Cortés temía ser víctima de una traición, aceptó la invitación de Xicoténcatl para llegar hasta la ciudad de Tlaxcala y entrevistarse con los demás miembros del senado para sellar el pacto de amistad y alianza, tan útil para el logro de sus fines y, el cual considera Francisco de Vitoria, como título legítimo para justificar la guerra en contra de los aztecas. Dice el maestro de Salamanca que entre las naciones bárbaras pueden darse guerras justas y al aliarse los españoles con algunos de los contendientes, como amigos y aliados, debieron auxiliarse en sus empresas bélicas en contra de sus enemigos, sólo entonces tendrían una justa causa para guerrear.

De Tlaxcala partió el ejército, el cual aumentó con varios miles de guerreros tlaxcaltecas con destino a la levítica Cholula, en donde los recibieron las autoridades con grandes agasajos, como rosas, pan de maíz, pájaros y frutas que eran ofrecidas por los cholultecas a los españoles, entre otros presentes, mientras los conducían a unos alcázares para su alojamiento. Pero toda esa fiesta, música y obsequios ocultaban una terrible traición, la gente de Cholula, aliados de los mexicas, se habían provisto de piedras y armas para masacrar a los españoles desde las azoteas, cavaron fosos en las calles, encubiertos con ramas y tierra para hacer caer en ellos al ejército, además habían hecho salir de la ciudad a todas las mujeres y niños, para ponerlos a buen resguardo.

Sin embargo, la fortuna se colocó del lado de los iberos y sus aliados, pues una anciana del pueblo queriendo ganarse a doña Marina, *La Malinche*, como esposa para su hijo, le informó de la traición y ésta a su vez se lo hizo saber al capitán, quien con disimulo aceptó los agasajos. Al confirmar el complot mediante otras personas, Cortés se dejó llevar por los cholultecas en unión de sus capitanes al patio de alguna construcción, pero avisados los españoles y sus aliados, Cortés hizo que comparecieran en el lugar los señores principales para echarles en cara la traición que le preparaban y les dijo que morirían por ello. Al momento se lanzaron los aliados sobre los cholultecas, en pocas horas murieron más de 3,000 hombres y la ciudad fue saqueada.

Armas de la época

> Sus aderezos de guerra son todos de hierro: hierro se visten, hierro ponen como capecetes a sus cabezas, hierro son sus espadas, hierro sus arcos, hierro sus escudos, hierro sus lanzas.
>
> BERNARDINO DE SAHAGÚN,
> *HISTORIA GENERAL DE LAS COSAS DE LA NUEVA ESPAÑA.*

Según fray Bartolomé de las Casas, ésta fue la primera de las atrocidades cometidas por Cortés en la conquista de la Nueva España, pero la realidad es que, como escribe el marqués de Pesara: "Ninguna cosa de cuantas se ofrecen en la guerra, es más dificultosa que respetar a Cristo y a Marte con igual disciplina".

Cruzó el capitán con sus hombres por el lugar en donde convergen las faldas del Ixtlaccíhuatl y el Popocatépetl, los dos volcanes de nieves casi eternas que siempre han presidido el paisaje del Anáhuac. Desde ese paso, llamado hasta nuestros días, de Cortés, el extremeño vislumbró el inmenso valle con un gran lago, en cuya porción central parecía flotar La ciudad imperio de Tenochtitlan. Descendió por las praderas de los volcanes hasta llegar a la tierra del valle que circunda al lago, cruzó por bosques de árboles disformes, inmensos plantíos de flores, milpas y verduras, para enfilarse por la larga calzada que conducía al corazón mismo de la ciudad, no sin antes entrevistarse con los caciques de algunos de los pueblos cercanos, así como con los enviados de Moctezuma, que con insistencia le pedían no llegara hasta la urbe misma.

Cosas jamás vistas ni oídas

El asombro de los conquistadores debió ser mayúsculo a medida que se acercaban a la ciudad, al contemplar tantas casas como podían verse en Sevilla o Salamanca y los inmensos templos que les recordaban las grandes catedrales y los palacios de España. Parecían, dice Bernal Díaz del Castillo, "cosas de encantamiento que cuentan en el libro de Amadís".Según Gómara, debieron existir en Tenochtitlan más de 60,000 casas, de las cuales las del rey y de los señores principales eran grandes y buenas, en tanto "las de los otros pequeñas y ruines, sin puertas ni ventanas; mas por pequeñas que son pocas veces dejan de tener dos, tres y hasta diez moradores; y así, hay en él infinidad de gente".

Asimismo, el asombro de los mexicas que atiborraban –curiosos– la calzada, las calles y azoteas en la ciudad, no debió ser menor al de los españoles, los mexicas observaban a aquellos grandes cuadrúpedos de extrañas formas, llevando sobre sus lomos a hombres blancos y barbados, con la cabeza y el cuerpo cubiertos de materiales resplandecientes, no sabían si se trataba de centauros, dioses u hombres. El desfile del ejército se introdujo en la ciudad por la calzada de Iztapalapa, hasta detenerse en la esquina que en la actualidad ocupa el hospital de Jesús, la fundación altruista hecha por el propio Cortés, que subsiste hasta nuestros días. En el lugar esperaba el tlatoani, ricamente ataviado y portando las insignias propias de su alta investidura.

La palabra tlatoani proviene del verbo náhuatl tlatoa, que significa "el que habla" y era sin duda, el hombre más poderoso de Mesoamérica, su voluntad no conocía límites, era señor de la vida y haciendas de miles de vasallos. En la descripción proporcionada por Cervantes de Salazar, Moctezuma era de mediana estatura, acompañada con cierta gravedad y real majestad.

Era delgado, moreno, traía el cabello largo, muy negro y reluciente, casi hasta los hombros, la barba rala con pocos pelos negros y largos, los ojos negros, "el mirar grave que mirándole convidaba a amarle y reverenciarle", era bien hablado y gracioso, además muy dado a fiestas, placeres y mujeres. En su persona era muy pulido y de acuerdo con sus costumbres iba siempre ricamente vestido, "era limpio a maravilla, porque cada día se bañaba dos veces", además era muy religioso, visitaba el templo constantemente y demostraba una gran devoción. Su designación como tlatoani personificó y materializó el ideal mexicano, era noble, guerrero y sacerdote.

El protocolo propio de los tlatoanis obligaba a sus súbditos a bajar la mirada en su presencia, a guardar ante él un silencio reverente y ni remotamente podía pensarse en tocar siquiera su real persona. Ante el asombro de la población, Cortés descendió de su caballo y a la usanza española quiso abrazar a Moctezuma y le colocó en su cuello un collar de cuentas de vidrio y flores, además se presentó como el embajador de un muy alto y poderoso señor, emperador de medio mundo llamado, Carlos V.

Moctezuma, con seguridad tenía un grave conflicto interno, por un lado era responsable del destino de Tenochtitlan y por otro estaba abatido por el inminente cumplimiento de las profecías de Quetzalcóatl, reveladoras de su ocaso, condujo a Cortés y a sus guerreros como huéspedes al famoso palacio de Axayácatl, lugar donde los albergó diciéndoles: "En vuestra casa estáis, comed, descansad y haced placer; que luego torno". Era el 8 de noviembre del año de 1519.

El palacio era muy grande y hermoso, "con salas bastante

grandes y otras muchas cámaras, donde muy bien cupieron ellos y casi todos los indios amigos que los servían y acompañaban armados; y estaba toda ella muy limpia, lúcida, esterada y tapizada con paramentos de algodón y pluma de muchos colores, que era todo cosa de mirar". Una vez repartidos los aposentos, Cortés y sus hombres disfrutaron de una buena comida. Al poco tiempo regresó el tlatoani y por boca tanto de doña Marina como de Aguilar, dirigió a sus huéspedes unas sentidas palabras haciendo ver a los extranjeros sus conocimientos acerca de su llegada, sus hazañas y sus caballos

Moctezuma y Cortés

Moctezuma iba debajo de un palio de pluma verde y de oro con mucha argentería colgando y que lo llevaban cuatro señores y que no dejaron llegar a Cortés a él porque tenía que era pecado tocarle y Juan Cano dice que por señas y por el intérprete le dijeron que a tan gran rey y señor no lo había él de abrazar y dice Cortés que Moctezuma y aquellos señores hicieron su ceremonia de besar la tierra y que hecha mandó a su hermano que se quedase con él y lo llevase por el brazo y él se fue delante con él otro poco trecho y que después de haber él hablado vinieron todos los otros señores que iban en las dos procesiones a hablar uno en pos de otro y luego se tornaban a su procesión y que al tiempo que él llegó a hablar a Moctezuma se quitó un collar que llevaba de margaritas y diamantes de vidrio y se lo echó al cuello.

ALONSO DE ZORITA,
RELACIÓN DE LA NUEVA ESPAÑA.

que en mucho espantaban a la gente, pues pensaban que "se tragaban a los hombres, y que como venían del cielo, bajáis de allá rayos, relámpagos y truenos, con que hacían temblar la tierra y herían al que os enojaba", pero al conocerlos de cerca, pudo percatarse de que eran humanos, sus caballos eran como los ciervos y los tiros, "que me parecen cerbatanas, tengo por burla y mentira lo que me decían y a vosotros como parientes". Les explicó también las profecías de Quetzalcóatl, aseguró su amistad y obediencia, les informó que él también era humano como los demás, "tocad, pues, mi cuerpo, que es de carne y hueso; hombre soy como los demás mortal, no dios, no; aunque, como rey, me tengo en más, por la dignidad y preeminencia". Asimismo les habló de los grandes tesoros heredados de sus ancestros, consistentes en objetos de plata, oro, pluma, armas y otras joyas, poniendo todo a su disposición y mientras decía esto, se le rodaban algunas lágrimas. Por su parte, Cortés le hizo una gran reverencia y con semblante alegre le aseguró que podía confiar en su clemencia y en lo referente al tesoro, que lo tenía por gran merced.

Durante seis días Cortés y su gente gozaron de los agasajos de Moctezuma, la comida era abundante y las mujeres no escaseaban para su regocijo. Pudieron admirar a sus anchas los palacios, los templos y toda la ciudad, descubrían y memorizaban tanto recovecos como secretos, pues estaban seguros de que esto podría servirles en cualquier momento. A pesar de las fiestas y los convites, Cortés se sentía angustiado por tres grandes problemas, cuya resolución consideraba fundamental. El primero era la seguridad de sus hombres, pues mientras los suyos eran cerca de 3,000, de los cuales sólo 300 eran españoles y se encontraban inmersos en una población enemiga o por lo menos poco confiable de alrededor de 300,000 almas, eso sin contar con sus aliados dispersos en las márgenes del lago y que en el momento menos esperado, al mover sólo un dedo, Moctezuma podía sorprenderlos y masacrarlos, esto además agravado por el peligro de encontrarse en un islote rodeado por agua, cuyas posibilidades para una huida eran escasas, por no decir que nulas. El segundo problema era lograr la finalidad principal de la empresa española en las Indias, que como se ha dicho, era la conversión al cristianismo de los naturales y por último, lograr el vasallaje y el reconocimiento de aquellos pueblos a Carlos V, como su rey y señor, por lo cual no dejarían de "amonestar y atraer para que viniesen en conocimiento de nuestra santa fe católica, y para que fuesen vasallos de vuestras majestades y les sirviesen y obedeciesen".

Mientras estaba absorto en esas cavilaciones, el extremeño recibió noticias de su teniente en la Villa Rica de la Veracruz, informándole acerca de la traición cometida por un señor llamado Cualpopoca, vasallo y aliado de Moctezuma, quien después de haber jurado fidelidad a Carlos V había dado muerte a nueve españoles. Además, se enteró por algunos de sus soldados, que los mexicas se preparaban para la guerra, pues habían destruido algunos puentes y se pertrechaban en varias casas fuertes. Cortés vislumbró la traición de Moctezuma y después de consultar con sus capitanes, tomó la decisión, asevera Cervantes de Salazar, "que ningún capitán ni príncipe ha hecho, de todos los que por las escrituras se saben" de prender al tlatoani, "en su propia casa y entre tantos y tan poderosos señores de quien Moctezuma más que rey era servido, amado y acatado".

Después de haber inspeccionado con todo cuidado el palacio de Axayácatl y tener bien conocidos sus secretos, Cortés se presentó ante Moctezuma, en compañía de treinta de los suyos y a los demás hombres puestos en armas, con la mayor discreción se introdujo en la cámara en donde se encontraba el tlatoani y en su presencia sacó del pecho la carta de Pedro de Ircio, su teniente en la Villa Rica, en la cual le daba cuenta de la traición de Cualpopoca y la muerte de algunos españoles. En estas circunstancias, el capitán se vio obligado a tomar como su prisionero a Moctezuma en unión de otros principales, dando órdenes de atender a su real persona como lo merecía y procurar evitar el levantamiento de la población. Moctezuma, atónito por la osadía del español, con buen semblante dijo: "Señor capitán: maravíllome de vuestro atrevimiento, que en mi casa, en mi ciudad y reino, y con tanto peligro vuestro os pongáis en prenderme, acaso no es persona la mía que debe y pueda ser presa, ya que si yo lo consintiese, no lo consentirán los míos que son tantos y tan poderosos como sabéis". Después de dos o tres horas de discusiones, el tlatoani al verse perdido, accedió a los deseos de Cortés y le acompañó, diciendo a los suyos "no os alteréis, que yo voy de mi voluntad con el capitán Hernando Cortés a su aposento para asegurarle de la maldad que Cualpopoca me ha levantado". Sin embargo, pese a estas explicaciones, sus vasallos pudieron percatarse de su prisión y pronto empezó a producirse un gran bullicio en la ciudad.

Resuelto el problema de la seguridad, Cortés se ocupó de llevar a efecto la conversión de aquel pueblo. La personalidad del conquistador un tanto contradictoria, lo hacía un gran pecador y por el otro un gran devoto y rezandero en especial preocupado por la empresa evangélica, no sólo por cumplir con el mandato pontificio, sino también por convencimiento propio. Con toda lógica inició su tarea por la cabeza y para ello pasaba largo tiempo con Moctezuma, al cual intentaba convencer para adoptar la fe de Cristo, pues el capitán sabía que conforme a la doctrina de la iglesia, el bautismo debe ser aceptado en forma voluntaria y nadie puede ser forzado a recibirlo. Pero a pesar de la insistencia de Cortés, el tlatoani siempre evadió la aceptación y continuó con sus prácticas religiosas.

Un día, no sólo por motivos de orden religioso, sino también por principios de carácter humanitario en defensa de los inocentes, el capitán pidió al tlatoani acabar con los sacrificios humanos y las prácticas antropofágicas, advirtiéndole que de lo contrario arrasaría el templo, pues se trataba de actos muy graves contra Dios y la naturaleza. Ante semejante exigencia, Moctezuma y sus acompañantes se turbaron muchísimo, pero sin mayores explicaciones sus allegados pretendieron con sus armas dar muerte de inmediato al capitán, el tlatoani los contuvo y exigió a Cortés desistiera de semejante atrevimiento.

El reconocido historiador, Scheifert, hace una buena comparación entre don Quijote de la Mancha y el hidalgo Hernán Cortés, mientras que don Alonso Quijano o Quijada, hombre sesudo y culto, siempre mostraba gran sabiduría así como razón en sus diálogos y consejos a su fiel Sancho o a otras personas, sin embargo, apenas escuchaba de las historias acerca de grandes y esforzados caballeros como el rey Arturo, el Cid, Amadís de Gaula, Esplandián, Lancelote y otros personajes de las novelas caballerescas, se nublaba su entendimiento, no oía razones y sin más, se lanzaba a las más disparatadas hazañas para embestir lo mismo molinos de viento que rebaños de ovejas.

Por su parte, Cortés era un hombre inteligente, era prudente y caviloso en sus empresas, pero al tratarse de la fe e idolatrías, igual que al hidalgo manchego, se le turbaba la mente y era capaz de realizar las acciones más irreflexivas. En ese sentido, después de escuchar la reprimenda de Moctezuma, con paso rápido se dirigió al gran Teocalli de Tenochtitlan, a grandes zancadas subió los 114 escalones del templo y una vez en la cima dirigió a los sacerdotes un largo discurso acerca de la perversidad de la idolatría y los horrores de los sacrificios humanos, así como las bondades del verdadero Dios. Acto seguido y en presencia de una multitud atónita, con sus propias manos derribó los ídolos de Huitzilopochtli y Tezcatlipoca, que rodaron destrozados por la escalinata del templo, después ordenó barrer y limpiar el lugar, hediondo por la sangre de las víctimas inmoladas y prohibió se hicieran en adelante más sacrificios humanos, en el lugar principal del templo colocó un Cristo y la imagen de Nuestra Señora. Afirma Gómara: "Mas honra y prez, ganó Cortés con esta hazaña cristiana que si los hubiese vencido en batalla".

A los pocos días llegaron hasta el capitán algunos hombres tristes y contritos, para mostrarle unos cuantos elotes pequeños y secos, reclamándole que por su sacrilegio se habían arruinado las cosechas y los dioses enojados no les enviarían lluvias. En uno de esos golpes de audacia que acostumbraba Cortés, despidió a los afligidos campesinos asegurándoles que haría oración al verdadero Dios y a Nuestra Señora para resolver su angustiosa situación. Milagro o no, lo cierto fue que esa misma noche cayeron aguaceros tan abundantes que los indios olvidaron sus pesares.

Transcurridos veinte días de la prisión de Moctezuma, llegaron a Tenochtitlan los criados del tlatoani, llevando a Cualpopoca acompañado de su hijo, así como a quince de sus hombres principales, acusados de la muerte de los españoles cerca de la Villa Rica. Cortés preguntó a Cualpopoca si era vasallo de Moctezuma, a lo que el prisionero respondió: "¿Pues hay otro señor de quien poderlo ser?", Cortés le contestó: "Mucho mayor es el rey de los españoles que vos matasteis sobre seguro y a traición; y aquí lo pagareis". Los prisioneros fueron interrogados con amplitud y todos confesaron su culpabilidad, argumentaron en su favor que habían matado a dos españoles por orden de Moctezuma y a los demás en guerra. Ante la confesión de los culpables, Cortés como justicia mayor del reino los sentenció a morir en la hoguera como traidores, frente a todo el pueblo para escarmiento. En cuanto a Moctezuma, es seguro que más por temor de su levantamiento que por castigo, le mandó poner grillos y cadenas.

La triste situación en que se encontraba el tlatoani fue suficiente para doblegar su ánimo y rendirse ante las exigencias de Cortés para aceptar el señorío de Carlos V y declararse su vasallo. En alguno de los salones del palacio de Axayácatl fueron convocados los capitanes españoles, los principales señores del imperio y ante la fe del escribano Pedro Fernández, que "lo asentó por auto en forma y yo lo pedí así por testimonio", Moctezuma con lágrimas en los ojos y dando grandes sollozos, dirigió las siguientes palabras: "Parientes, amigos y criados míos: bien sabéis que hace dieciocho años soy vuestro rey, como lo fueron mis padres y abuelos, y que siempre os he sido buen señor, y vosotros a mí buenos y obedientes vasallos; y así, confío que lo seréis ahora y todo el tiempo de mi vida. Recuerdo debéis tenéis, que vos lo dijeron vuestros padres, o lo habréis oído a nuestros sabios adivinos y sacerdotes; como ni somos naturales de esta tierra ni nuestro reino es duradero; porque nuestros antepasados vinieron de lejanas tierras, y su rey o caudillo que traían se volvió a su tierra, diciendo que enviaría a quién los rigiese y mandara si él no viniese. Creer que por cierto que el rey que esperamos desde hace muchos años, es el que ahora envía estos españoles que aquí veis, pues dicen que somos parientes y tienen desde hace mucho tiempo noticias de nosotros. Demos gracias a los dioses, que han venido en nuestros días los que tanto deseábamos. Me haréis placer que os deis a este capitán por vasallos del emperador y rey de España, nuestro señor, pues yo ya me he dado por su servidor y amigo; y os ruego mucho que de aquí en adelante le obedezcáis bien, y así como hasta aquí habéis hecho por mí, y le deis y paguéis los tributos, pechos y servicios que me soléis dar, pues no me podéis dar mayor contento".

Con el ejemplo del tlatoani, los demás señores principales hicieron lo propio, se reconocieron como vasallos del rey de España, según Gómara, más que por el mandato de Moctezuma, porque veían el inexorable cumplimiento de las profecías. Este mismo autor comenta que Moctezuma obtenía del oráculo de sus dioses respuesta para todas sus preguntas y por eso sabía que él sería el último de los emperadores mexicas y no le sucedería en el trono ningún hijo suyo, que perdería el trono a los ocho años de su reinado y por lo mismo nunca hizo la guerra a los españoles, pues estaba convencido de que ellos serían sus sucesores.

Acto seguido, el capitán dio las gracias al tlatoani, además le prometió que continuaría siendo rey y señor de su pueblo, que también mandaría sobre todos los reinos que ganara para su emperador. El gozo de Cortés debió ser inmenso, había logrado conquistar un inmenso imperio casi sin derramamiento de sangre, como lo demuestran sus palabras (llenas de optimismo) enviadas a Carlos V mediante su segunda carta de relación, en donde le aseguró que se podía ya intitular como emperador de esas tierras, con una corona tan digna y grande como la recibida de sus antepasados. Su obra estaba consumada, la conquista de Tenochtitlan estaba concluida en estricto derecho y Moctezuma era vasallo del César Católico.

La institución del vasallaje tiene sus remotos orígenes en el mundo antiguo europeo y se desarrolló a todo lo largo de la Edad Media. Respecto a América, en concreto, entre los pueblos mesoamericanos se había desarrollado en forma muy similar, pues entre los naturales de esta tierra, las conquistas guerreras no tenían por objeto el incremento territorial de los vencedores, sino tan sólo el dominio sobre los pueblos vencidos, se respetaban sus instituciones y se les imponían diversas exacciones y deberes. En consecuencia, tanto Moctezuma como los suyos entendieron el significado y los resultados del pacto celebrado con Cortés. De acuerdo con los principios que rigieron al vasallaje, el rey o señor que se volvía vasallo de otro no perdía su trono ni el dominio sobre las tierras y su gente, pero quedaba subordinado a su señor, entre otras cosas le debía fidelidad, el auxilio en las guerras y la entrega de tributos.

Concluida de esta manera la conquista del imperio mexica, Cortés se ocupó en conocer sus fronteras, sus poblaciones, sus riquezas y minas. Recibió de Moctezuma y los demás caciques sus tributos para Carlos V, que consistían en una gran cantidad de piezas de oro, joyas, piedras preciosas, bordados, mantas y arte plumario con un valor aproximado, según Gómara, de 100,000 ducados, de los cuales separó la quinta parte para el rey y lo demás se repartió entre sus hombres.

Con seguridad también meditó el conquistador acerca de la organización del territorio, en traer gente de Santo Domingo y España para colonizar, así como trasladar misioneros, plantas y animales para aumentar la riqueza. Mientras meditaba en éstos y otros muchos pensamientos, recibió la mala noticia acerca del desembarco de Pánfilo de Narváez, amigo y enviado de Diego de Velázquez, para aprehenderlo y llevarlo de vuelta a Cuba como insurrecto.

3. El vuelco de la fortuna

La llegada de Pánfilo de Narváez a la Nueva España no pudo ser más inoportuna para Cortés, ya que éste enfrentaba la efervescencia de los mexicas ofendidos por derribar sus ídolos y mantener en prisión a su rey, el levantamiento de los nuevos vasallos del emperador era inminente. Por su parte, Narváez proclamaba a voz en cuello que Cortés era sólo un delincuente, sin representación alguna del rey, al que debía detener y castigar, con lo cual los indios se verían de nuevo en libertad.

No hay mal que por bien no venga

Por más enviados y ruegos hechos por Cortés a Narváez para hacerlo desistir de sus órdenes, éste no cejaba en alcanzar su objetivo, de esta manera el capitán recurrió a otro de sus singulares golpes de audacia y decidió salir de Tenochtitlan para enfrentar en persona al enviado de Velázquez. Dejó a cargo de la ciudad al joven capitán Pedro de Alvarado, al frente de doscientos españoles y muchos indios, mientras que él tomó el camino hacia Cholula, en donde se le sumaron Velázquez de León y Rangel con sus hombres, reuniendo así bajo su mando a veinte españoles y con ellos partió con destino a Zempoala, lugar donde se encontraba Narváez. A escasas quince leguas de distancia de la capital zempoalteca, Cortés se encontró con Andrés de Duero y dos clérigos, los tres enviados por Narváez para convencerle de entregar la tierra y a sus hombres, además le advertía que de rehusarse, sería tratado como enemigo y rebelde, a lo cual respondió Cortés que antes de hacerlo moriría estando listo y dispuesto para hacerle la guerra al momento.

La reacción de Narváez no se hizo esperar, después de burlarse de las palabras de Cortés por sus alardes ridículos, salió a su encuentro seguido de 80 escopeteros, 120 ballesteros, 100 infantes y 80 de caballería. Cortés, al fin y al cabo estratega innato, se escondía y burlaba a los hombres de Narváez y un día apresó a Gonzalo Carrasco, espía de Narváez, quien le dio informes acerca de la gente y del campamento de su jefe, para después escaparse y ser perseguido, llegó hasta el campamento alertando a todos, advirtiéndoles que Cortés se aproximaba. Se alistaron los hombres y como Cortés no llegaba decidieron descansar tranquilamente, debido a que era cerca de la media noche, un descuido que Cortés aprovechó, con el mayor sigilo se introdujeron Cortés y sus hombres al campamento enemigo y en menos de una hora quedó apresado Pánfilo de Narváez, quien al presentarse ante Cortés le dijo: "Señor Cortés tened mucho la ventura de tener mi persona presa" y el "cortesísimo Cortés", como le llamó Cervantes, contestó: "Lo menos que yo he hecho en esta tierra es haberos prendido" y lo envió preso a la Villa Rica de la Veracruz.

Un acontecimiento peor que la llegada de Narváez fue la epidemia de viruela que traía un negro enfermo integrante de su séquito, este hombre contagió a un número grande de españoles y sobre todo a los indígenas, entre los cuales causó una gran mortandad. A pesar de lo anterior, Cortés con su habilidad política tan característica, supo atraer a su causa al ejército enviado por Velázquez y con ese importante incremento militar emprendió el retorno a Tenochtitlan, que para entonces, tenía más enardecida a su población por culpa de Alvarado y estaba a punto de un levantamiento.

De los hechos que se presentaron durante la ausencia de Cortés en la gran Tenochtitlan se tienen pocos datos, los cronistas supieron de ellos ya sea por lo que dijeron los españoles que permanecieron allí o por las quejas de los indios. De acuerdo con Gómara, que recogió los hechos por boca del propio Cortés, el capitán a su regreso quiso investigar lo sucedido y obtuvo algunos datos. Unos le manifestaron que la causa de la revuelta fueron las palabras que Narváez expresó a su llegada, otros la atribuyeron al deseo de la población por liberar a Moctezuma y recuperar el tesoro perdido mientras que otros más la encontraban en el día en que fueron derribados los ídolos, pero el verdadero motivo pareció ser una fiesta a la usanza mexica. A los pocos días de salir Cortés de la metrópoli, se verificó una gran fiesta por lo que los mexicas quisieron celebrarla según sus usos y costumbres tradicionales, pidieron permiso al capitán Alvarado, quien accedió a condición de que no hubiese sacrificios humanos ni se presentasen armados a la celebración. En estas circunstancias aceptaron, el día de la celebración se reunieron miles de indios en el templo principal y en la gran plaza, iban desnudos, adornados tan sólo con collares, ricas joyas así como penachos de pluma. La algarabía era inmensa, estaba acompañada por el sonido de los atabales, de los caracoles y otros instrumentos, todos cantaban y danzaban, rogando a sus dioses los más diversos dones.

Pedro de Alvarado se presentó en el templo de Huitzilopochtli acompañado por algunos de sus soldados, con la intención de admirar las danzas y al mirar a los participantes llenos de oro, entró la codicia a los españoles y los acuchillaron para despojarlos de sus riquezas, "sin duelo ni piedad cristiana". Por su parte, la versión española fue muy distinta, relata que los españoles acudieron al lugar avisados que allí se encontraban reunidos los indios principales para concertar la rebelión y por ello los mataron. Ante lo contradictorio de las versiones recibidas, Cortés titubeó, porque al decidirse por una quedaba en mal con el contrario y en esas condiciones decidió mejor no emprender acción alguna.

Al llegar a Tenochtitlan con sus hombres y con las noticias de la derrota infligida a Narváez, alborotaron aún más a la población debido a que percibieron el incremento del poderío militar de Cortés. El desorden era total, la población mexica agredía tanto en las calles como en sus casas a los españoles y a sus aliados. Gritos, insultos, amenazas y una constante lluvia

El primer enfrentamiento

E los ochenta hombres que delante íbamos fuimos a la casa del capitán (Narváez), e ternie consigo fasta treinta gentiles hombres, e delante su aposento tenía diez o doce tirillos de campo, e el artillero e otros, turbados e sobresaltados, quitaban unas piedras o tejas de sobre los fogones e cebaban sobre la cera, e cuando quisieron poner fuego vimos que los tiros no salían, e ganámoselos e peleamos con el capitán e con los que él estaban, e algunos hubo de nuestros contrarios que vinieron de fuera, e rompiendo por nosotros se metieron con su capitán, e retrajímoslos todos adentro de la casa, e no pudiéndoles entrar pegamos fuego a la casa, e así se dieron e prendimos al capitán e a algunos de los otros; e luego, antes que la victoria se conociese, el marqués mandó gritar, e a grandes voces decían los suyos: "¡Viva Cortés que lleva la victoria!

ANDRÉS DE TAPIA,
RELACIÓN.

de piedras y flechas caían sobre la gente de Cortés, la cual para entonces era presa del miedo y relata Gómara, "hasta se les soltaba el vientre y no deseaban más cosa que el salir de allí".

Por instantes la situación se volvía más peligrosa, Cortés pensó contener la violencia presentando a la multitud iracunda a Moctezuma, para que con sus palabras llamara a la cordura e impusiera la paz, pero el remedio salió peor, al aparecer el tlatoani en la azotea del palacio recibió en la cabeza una pedrada que lo derribó, provocando su muerte tres días después. Cortés entregó el cuerpo del rey a algunos de los señores principales, pidiéndoles designaran a un nuevo tlatoani. Hecha la elección de acuerdo con sus tradiciones, se entronizó a Cuitláhuac, hermano de Moctezuma y enemigo acérrimo de los españoles, esta designación vino a empeorar la situación existente.

Ni los buenos oficios ni las súplicas de paz o de tregua hechas por los españoles surtieron efecto y lejos de calmar los ánimos, envalentonaban a la turba que amenazaba con matarlos y devorarlos, incluso exclamaron que en caso de no ser buena su carne se la darían a las fieras, Cortés decidió entonces abandonar la ciudad. De acuerdo con la opinión de sus capitanes, basados en los augurios de un astrólogo de apellido Botello quien formaba parte de las huestes, acordaron que la media noche del 30 de junio era el momento más propicio para realizar la huida.

Memoria de la Conquista

> Porque haya fama memorable de nosotros con... historias de hechos hazañosos que ha habido en el mundo justa... tan ilustres se pongan entre los muy nombrados que han acaecido... riesgos de muerte y heridas y mil cuentos de miserias, pusimos y aventuramos nuestras vidas... descubriendo tierras que jamás se había tenido noticia de ellas, y de día y de noche batallando con multitud de belicosos guerreros, y tan apartado de Castilla, sin y tener socorro ni ayuda ninguna, salvo la gran misericordia de Dios Nuestro Señor, que es el socorro verdadero que fue servido que ganásemos la Nueva España y la muy nombrada y gran ciudad de Tenoxtitlan, México, que así se nombra, y otras muchas ciudades y provincias, que, por ser tantas, aquí no declaro sus nombres.
>
> BERNAL DÍAZ DEL CASTILLO,
> *HISTORIA VERDADERA DE LA CONQUISTA DE LA NUEVA ESPAÑA.*

Antes de abandonar la ciudad, fue abierta la cámara del tesoro del palacio de Axayácatl y una vez separado el quinto real, se permitió pasar a los soldados para que tomaran cuanto quisieran. Aquellos que llegaron con Narváez, deslumbrados con las riquezas se apoderaron de lo más posible y al momento de huir al ser perseguidos por el enemigo, estaban tan llenos de oro que apenas si podían caminar, muchos de ellos murieron ahogados en el lago por el peso y otros más fueron alcanzados por los indios, que los apresaron para sacrificarlos.

Llegada la hora acordada para escapar, con el mayor sigilo en medio de la penumbra y después de encomendarse a Dios, Cortés dejó la ciudad seguido de sus huestes por la calzada de Tlacopan, la más corta para alcanzar tierra firme. Eran siete u ocho mil hombres, de los cuales unos 1,300 eran españoles, también los acompañaban la inseparable doña Marina, así como la esposa principal de Moctezuma con sus hijos, ocho mujeres españolas y algunas otras indígenas. Entre las españolas se encontraba doña María de Estrada, quien en ese momento se distinguió por batirse con gran bravura, afirma Torquemada, realizando "hechos maravillosos y se enfrentaba con los enemigos con tanto coraje y ánimo, como si fuera uno de los más valientes hombres del mundo, olvidaba que era mujer y revestida de valor que en casos semejantes suelen tener los hombres de valor y honra".

La multitud marchaba con dificultad, debido a que apenas veían a causa de la lluvia y la bruma que los envolvía. La

> Ningún caudillo se vio jamás en tan peligrosas circunstancias. Con tan poco número de gente que apenas bastaba a rendir una pequeña villa, está empeñado en la conquista de un gran imperio.
>
> BENITO JERÓNIMO FEIJOO,
> *GLORIAS DE ESPAÑA.*

calzada tenía cortes en varios lugares, sus puentes fueron destruidos por los indios para impedir que escaparan, obligando a la gente de Cortés a llevar tablones para poder realizar los cruces. Al momento en el que la horda pasó la primera zanja, los vigías mexicas se percataron de la huida, de inmediato empezaron a sonar los caracoles y a dar la voz de alarma para llamar al pueblo, que rápidamente se enfiló para iniciar la persecución de sus enemigos.

El peor suceso se presentó en la segunda zanja, ubicada frente a la iglesia de San Hipólito, en la actualidad el cruce del Paseo de la Reforma y la avenida Hidalgo. En ese lugar la gente de Cortés contaba con una sola viga para cruzar la zanja, esta viga era estrecha y mojada, de manera que quienes iban a caballo no podían pasar, esto provocó un gran tumulto y fue mayor porque los mexicas ya habían alcanzado a la retaguardia de la multitud, el pánico y la confusión fueron terribles, había pilas de muertos y heridos, cuyos cuerpos amontonados servían de puente a la multitud que huía en estampida. En medio de la confusión cerca de 300 españoles optaron por regresar a la ciudad y resguardarse en un teocalli, en donde perecieron todos a manos de los indios.

En una de esas zanjas, Alvarado –a cuyo cuidado estaba la retaguardia– al verse acosado por los violentos mexicas, tomó su lanza y se sirvió de ella a manera de garrocha, dando con ella un salto tan espectacular, que en la actualidad la avenida "Puente de Alvarado", lleva ese nombre en memoria de su hazaña.

Aquella noche, llamada por Bernal Díaz "noche triste", llegaron los maltrechos restos del ejército de Cortés a Tacuba, se habían perdido 600 españoles, miles de indios aliados, 46 caballos, todos los prisioneros, el tesoro de Axayácatl y todos los papeles de Cortés, entre los que se contaban las actas notariales que certificaban el vasallaje prestado a Carlos V por los señores indígenas, incluido el de Moctezuma. Como puntual escribano, el capitán se lamentó en su relación al emperador: "Se perdieron todas las escrituras y autos que yo fecho con los naturales destas partes". Según la tradición, Cortés al llegar a Tacuba, apesadumbrado reposó bajo un ahuehuete y allí lloró todas estas desgracias. El histórico árbol pudo conservarse hasta hace algunos años, en que se destruyó a causa de un incendio provocado por un cohete de artificio.

Mientras Cortés lloraba de coraje y dolor en el amanecer de aquel 1° de julio, los mexicas debieron haber celebrado en grande el hecho de lograr echarlo de su magnífica ciudad. Muy poco fue el tiempo que transcurrió para que los papeles se cambiaran, para que las lágrimas se convirtieran en gozo y la alegría en llanto. Fue un error muy grave del tlatoani en turno, el no haber acabado con los españoles durante su estadía en Tenochtitlan, con esta increíble escapatoria Cuitláhuac firmó su sentencia de muerte.

Sin embargo, si Cortés hubiera muerto en esa ocasión, ese hecho quizá habría cambiado de manera radical la historia, lo que no significa que pudiera librarse al imperio mexica de la conquista española, pues de haber fracasado Cortés, seguro hubieran llegado otros capitanes españoles con mejor fortuna para consumar la conquista, ya que las noticias de Cortés acerca del hallazgo de inmensas tierras llenas de riquezas, cambiaron la perspectiva de España y de toda Europa respecto al descubrimiento de Colón. No se trataba sólo de unas cuantas islas con relativas riquezas y escasa población, sino de un inmenso continente con abundancia de oro, civilizaciones más desarrolladas y numerosas que las caribeñas. Además, las hazañas de Cortés significaron para los teólogos y los juristas la preocupación de analizar la legitimidad de los títulos de España sobre el Nuevo Mundo y los derechos de los naturales.

En pos de la revancha

Durante días vagó sin rumbo fijo aquella turba macilenta de heridos, cojos y hambrientos, escabulléndose lo mejor que podían de sus enemigos en busca del camino a Tlaxcala. Era

> En Tacuba está Cortés,
> con su escuadrón esforzado;
> triste estaba y muy penoso,
> triste y con gran cuidado,
> una mano en la mejilla,
> y la otra en el costado.
>
> BERNAL DÍAZ DEL CASTILLO,
> *HISTORIA VERDADERA DE LA CONQUISTA DE LA NUEVA ESPAÑA.*

tan lamentable la situación, que quizá Cortés se confortaba recordando las palabras del astrólogo Botello, quien le había augurado que algún día regresaría a la gran Tenochtitlan y sería su señor. Absorto en sus pensamientos, alcanzó a escuchar las quejas de alguno de sus soldados ante el peso del oro que cargaba y el capitán resuelto le respondió: "Dad al diablo el oro si os ha de costar la vida. Arrojadlo o dadlo a otro que yo le hago merced de ello".

Llegaron hasta Otumba con muchas dificultades, debido al hambre tuvieron que comerse hasta el caballo de Cortés, "sin dejar cuero, ni otra cosa de él" y para su sorpresa, al contemplar el inmenso valle circundante, lo encontraron cubierto por miles de indios en pie de guerra, que "como andan vestidos de blanco, parecía que había nevado por toda aquella tierra". Cortés sólo acertó a escribir al emperador, "creíamos que aquel día era el último de nuestras vidas".

Los soldados maltrechos, mal comidos y peor armados, con pocas esperanzas de sobrevivir escucharon la arenga de su capitán que se encomendó a Dios, a la Virgen, a su abogado San Pedro y a Santiago, patrón de España, "Hoy espero en Dios que ha de ser el fin y remate del seguimiento destos perros; hoy los confundirá Dios, y nosotros, saliendo victoriosos, entraremos con alegría en Tlaxcala, de donde volveremos y no dará venganza dellos". Después de estas palabras los ojos se le llenaron de lágrimas y sus hombres se estremecieron ante esto, tomando ánimo como pudo, aun cuando dudaban de alcanzar un buen final.

Se lanzaron los hombres a una feroz batalla, Cortés montaba un brioso caballo de carga que a diestra y siniestra lanzaba coces y relinchos, cuando de pronto vio acercarse por el oriente a un grupo de señores principales que llevaban en andas a su general, lujoso e imponente, desde las alturas dirigía la acción guerrera. Era el cihuacóatl de Tenochtitlan, cuya cabeza estaba adornada con grandes penachos de plata y plumas, estaba rodeado de más de 300 hombres muy bien armados y llevando una gran bandera blanca. Cortés detuvo su caballo y exclamó: "Poderoso eres, Dios, para hacernos este día merced; santo Pedro, mi abogado, sé mi intercesor y mi ayuda", entonces irrumpió entre la multitud con gran furia, seguido sólo por Juan de Salamanca que montaba en una yegua y destrozando a cuantos se le oponían a su paso llegó hasta el cihuacóatl, de una lanzada Cortés lo tiró al suelo y Salamanca desmontando de un salto, sin más le cortó la cabeza y tomó su penacho y la bandera. Al ver esto, los guerreros empezaron a huir perseguidos por los hombres de Cortés al grito de "¡Victoria, victoria!". "No ha habido, señala Gómara, más notable hazaña ni victoria de indias desde que se descubrieron; y cuantos españoles vieron pelear ese día a Hernán Cortés afirman que nunca hombre alguno peleó como él, ni acaudilló así a los suyos, y que él solo por su persona los libró a todos".

Esta contienda se conoce como batalla de Otumba, y se encuentra reseñada, entre otros autores, por López de Gómara, Cervantes de Salazar y Antonio de Solís. Sin embargo, entre los historiadores modernos algunos dudan de su veracidad, basándose en el poco interés que pone en su narración Hernán Cortés en sus *Relaciones*, y Bernal Díaz en su *Historia*. Incluso, algunos como José Luis Guerrero, han considerado que la victoria no se dio, sino que se trató de una equivocación por parte de Cortés, quien confundió a los ejércitos de su aliado Ixtlilxóchitl con el de los mexicas. Sin embargo, de ser ciertas estas opiniones, cabría preguntarse si Cortés, derrotado o, peor aún, equivocado, hubiera sido recibido de forma amistosa en Tlaxcala y si este pueblo le hubiera continuado apoyando de manera incondicional en estas circunstancias. Existen hombres en la historia de México cuyos triunfos se niegan, mientras que a otros se les inventan.

Cortés, con evidente satisfacción por el cambio de su fortuna y saboreando las mieles del triunfo, tomó de nuevo la ruta hacia Tlaxcala, mientras que Cuitláhuac buscaba realizar alianzas para acabar con los españoles. El tlatoani recurrió

> Que en nombre de Su Majestad por mi mandado hubieren de ir, que su principal motivo e intención sea apartar y desarraigar de las dichas idolatrías a todos los naturales destas partes, y reducillos, o a lo menos desear su salvación, y que sean reducidos al conocimiento de Dios y de su santa fe católica.
>
> HERNÁN CORTÉS,
> *ORDENANZAS MILITARES DE TLAXCALA, 1520.*

primero a los tlaxcaltecas, a quienes envió regalos magníficos acompañados de similares ofertas para que traicionaran a Cortés. Los tlaxcaltecas escucharon las propuestas y discutieron tanto los pros como los contras y optaron por la fidelidad. Frustrado por este plan, Cuitláhuac recurrió a los tarascos, a quienes también hizo ofrecimientos tentadores, sin lograr que aceptaran aliarse con él.

4. Los dolores del parto

La panorámica que observaba Cortés había cambiado de manera radical, su conquista perfecta (desde el punto de vista jurídico) prácticamente sin derramamiento de sangre se había hundido en la crisis. En su mente de leguleyo estaba perfectamente claro que en adelante su lucha no era por la conquista, ésta ya estaba consumada, ahora se trataba de someter a los rebeldes, a los vasallos insurrectos del emperador, a quien traicionaron al romper su juramento de fidelidad.

El principio del fin

En estas circunstancias no podía perdonar ni podía aceptar condición alguna, la única solución era la rendición incondicional de los mexicas o la pérdida total de lo ganado. Este cambio en la visión de los acontecimientos implicó también que Cortés modificara su conducta, porque hasta en el sometimiento de Moctezuma, Cortés tuvo un comportamiento en el que prevaleció un espíritu diplomático, en adelante sería un juez inflexible, como señala Alfonso X en la segunda de sus Partidas, que como buen vasallo debía guardar "aquello que atañe al rey, su vida, salud, honra, su pro, guardar el señorío, sin consentir nada para enajenarlo ni departirlo".

Para Cuitláhuac y los tenochcas también su mundo había dado un vuelco muy grande. Su realidad no era triste, sino dramática, el gigantesco imperio había sucumbido, la orgullosa Tenochtitlan quedaba reducida a sus primitivos términos y se encontraba herida de muerte, agonizaba. El hecho de pensar en que sus enemigos o sus antiguos vasallos –otrora vencidos y sojuzgados– fueran en su auxilio era una ilusión, para ellos había llegado el tiempo de la venganza. Además, dentro de la ciudad también se enfrentaba la disidencia, la dignidad imperial estaba menoscabada, pues el predecesor de Cuitláhuac en el trono, de ser una personalidad semidivina se convirtió en un títere de Cortés, además la sublevación de sus vasallos no sólo significaba una reducción de su poderío militar sino también el hambre, pues se encontraban privados de los tributos indispensables para la subsistencia de la gran ciudad. La suerte estaba echada, lo único posible de rescatar con su lucha era el honor y por él pelearon hasta morir.

En Tlaxcala hubo un buen recibimiento a Cortés, sanaron los heridos y el ejército se volvió a formar. Algunos días tuvieron que enfrentarse contra otras tribus de las comarcas cercanas, para después lanzarse sobre Tepeaca, que estaba sometida por los mexicas y era un punto vital para el imperio; por ser el cruce del camino entre la costa y Tenochtitlan era fundamental para su abasto.

Después de algunos días de lucha, los de Tepeaca fueron vencidos y se instaló ahí Cortés, el 4 de septiembre de 1520, bautizando a la ciudad como Segura de la Frontera, le dio una organización municipal semejante a la de Castilla. Los vencidos fueron tratados y castigados como insurrectos, pues a diferencia de guerras anteriores, Cortés mandó esclavizar a todos los hijos y mujeres de los muertos, marcándolos con un hierro en la mejilla. Desde esta ciudad Cortés escribió su segunda Carta de Relación al emperador y entre otras cosas, designó a esta parte del mundo, "por lo que yo he visto y comprendido cerca de la similitud que toda esta tierra tiene a España, así en la fertilidad como en la grandeza y fríos que en ella hace, y en otras muchas cosas que la equiparan a ella, me pareció que el más conveniente nombre para esta dicha tierra era llamarse la Nueva España del mar océano; y así, en nombre de vuestra majestad se le puso aqueste nombre".

Nuevas estrategias

Con la firme idea de ocupar de nuevo Tenochtitlan, Cortés debió meditar una nueva estrategia. Ahora conocía bien la situación orográfica de la ciudad, de esta manera decidió proveerse de barcos para realizar el asalto, por tanto ordenó al experto Martín López que se estableciera en Tlaxcala para dedicarse a la construcción de trece bergantines aptos para el asedio de la ciudad. El experto carpintero se proveyó de madera y con sus ayudantes trabajaron día y noche, cortaron suficientes tablones para armar con posterioridad las naves en algún lugar cercano al lago. Cortés regresó a Tlaxcala y el 26 de diciembre de 1520 hizo recuento de sus tropas, cuyo resultado fue: 40 hombres de a caballo, 540 a pie, de los cuales 80 contaban con ballestas o escopetas y además cerca de 80,000 indios armados. Nombró capitanes y oficiales, después les hizo una larga arenga, en la que entre otras cosas dijo: "Muchas gracias doy a Jesucristo, hermanos míos, de veros ya sanos de vuestras heridas y libres de enfermedad. Me alegra mucho veros así armados y deseosos de volver de nuevo sobre Méjico a vengar la muerte de nuestros compañeros y recobrar aquella gran ciudad... Los de Tlaxcala y los demás que nos han seguido siempre, están dispuestos y armados para esta guerra, y con tanta gana de vencer y sujetar a los mejicanos como nosotros; pues en ella no sólo les va la honra, sino la libertad y aun la vida también; porque si no venciésemos, ellos quedaban perdidos y esclavos, pues los de Culúa los quieren peor que a nosotros... luego entonces, vayamos ya, sirvamos a Dios, honremos a nuestra nación engrandezcamos a nuestro rey, y enriquezcámonos nosotros, que para todo es la empresa de Méjico. Mañana, Dios mediante comenzaremos". El 28 de diciembre partió el inmenso ejército, dejando algunos hombres en Tlaxcala, encargados de la transportación de los materiales para hacer los barcos hasta las márgenes del lago.

En todo ese tiempo, la epidemia de viruela se había extendido por la Nueva España asolando ciudades y cobrando miles de víctimas, entre ellas se contaron Mexicaltzin, uno de los señores de Tlaxcala y el tlatoani de Tenochtitlan, Cuitláhuac. Debido a la muerte de este valiente guerrero, a quien la fortuna quiso eximir de ver el fin del imperio, los tenochcas eligieron a su primo Cuauhtémoc como su señor y caudillo. El nuevo tlatoani era valiente y resuelto, como todos los de su clase había estudiado en el calmecac, era experto en la guerra que con gran heroísmo continuó en contra de los enemigos de su pueblo. Según la descripción de Díaz del Castillo, la más confiable de cuantas se han dado, Cuauhtémoc "era de muy gentil disposición, así de cuerpo como de facciones, y la cara algo larga y alegre, y los ojos más parecían que cuando miraban que era con gravedad y halagüeños, y no había falta en ellos, y era de veintitrés o veinticuatro años, y el color tiraba más a blanco que al color y matiz en otros indios morenos".

Cortés llegó hasta las orillas del lago y fue ganando terreno al tomar a las poblaciones circundantes, algunas cayeron en batalla, otras prefirieron capitular para no enfrentarse al formidable ejército comandado por el español. El primero en caer fue el reino de Texcoco, cuyos embajadores salieron al encuentro de Cortés para rogarle no hiciera daño a la población, le ofrecieron a cambio todo su ejército y pasar a la ciudad para que pudieran descansar. El capitán se percató de que los texcocanos abandonaban a la ciudad por tierra y agua, llevando consigo lo más que podían de sus pertenencias, previendo alguna posible traición llamó a algunos de los

Discurso ante el pueblo

Valerosos mexicanos: ya veis cómo nuestros vasallos todos se han rebelado contra nosotros. Ya tenemos por enemigos, no solamente a los tlaxcaltecas y cholultecas y huexotzincas, pero a los tezcucanos y chalcas y xochimilcas y tepanecas, los cuales todos nos han desamparado y dejado y se han ido y llegado a los españoles y vienen contra nosotros. Por lo cual os ruego que os acordéis del valeroso corazón y ánimo de los mexicanos chichimecas, nuestros antepasados, que siendo tan poca gente la que en esta tierra aportó, se atreviese a acometer y a entrar entre muchos millones de gentes y sujetó con su poderoso brazo todo este nuevo mundo y todas las naciones, no dejando costas ni provincias lejanas, que no corriesen y sujetasen, poniendo su vida y hacienda al tablero, por sólo aumentar y ensalzar su nombre y valor... Tened lástima de los viejos y viejas y de los niños y huérfanos, que, no haciendo lo que debéis al valor de vuestras personas y a la defensa de la patria, quedarán por vosotros desamparados y en manos de vuestros enemigos, para ser esclavos perpetuos, y hechos pedazos. No miréis a que soy muchacho y de poca edad, sino mirad que lo que os digo es la verdad y que estáis obligados a defender vuestra ciudad y patria, donde os prometo de no la desamparar hasta morir o librarla.

FRAY DIEGO DURÁN,
"ARENGA DE CUAUHTÉMOC",
HISTORIA DE LAS INDIAS DE LA NUEVA ESPAÑA.

principales jefes y les dio por rey a don Fernando Ixtlilxóchitl, nieto de Netzahualpilli, debido a que su rey Coanacoach había asesinado a su hermano y señor, además de haber abandonado a su pueblo para unirse con Cuauhtémoc.

Una vez instalado el nuevo rey, la ciudad volvió a poblarse y fue de gran ayuda para Cortés, quien siempre los tuvo por amigos y aliados. Ya en la ciudad de Texcoco tuvo noticias de una conspiración urdida por algunos amigos de Velázquez, quienes pretendían amotinar a la tropa con el objeto de regresar a Cuba. Cortés ordenó la detención inmediata de los amotinados y condenó a muerte a su cabecilla, Juan de Villafaña, dando así por terminado el motín.

Escribano, militar y marino

Concluida la conquista de la ribera de los lagos, los navíos desarmados fueron transportados con mucho esfuerzo y mucha gente desde Tlaxcala hasta Texcoco. En el mes de febrero de 1521 llegó Martín López con su comitiva, depositaron la madera y las ligazones a media legua de distancia de Texcoco, también llegaron las jarcias, velas y demás material que había mando traer Cortés de la Villa Rica, todo esto eran los restos de los barcos que allí había hundido y se dieron a la tarea de construir las naves.

Para poder botar los barcos, se construyó un canal con doce pies de profundidad y otros doce de ancho. Se fijó el 28 de abril como fecha para realizar con toda solemnidad la botadura de los bergantines, a la cual, después de hacer alarde, siguió toda la población de Texcoco. El padre Olmedo, después de oficiar la misa, procedió a bendecir a cada una de las naves y a una señal de Cortés fueron puestas en el agua, en medio de salvas de artillería, música y el bullicio de mucha gente.

Los bergantines, diseñados por Martín López, de fondo plano, remos y velas, eran ideales para navegar por las fangosas y poco profundas aguas del lago, además podían moverse con rapidez, cuestión muy importante en la guerra. Cada una de las doce naves podía transportar hasta veinticinco hombres y una pieza pequeña de artillería colocada en la proa. La mitad de los bajeles tenía un mástil y la otra mitad poseía dos. La nao capitana, en la que pensaban viajar Cortés y el constructor Martín López, era dos o tres metros mayor que las otras, podía transportar un mayor número de hombres además de un cañón de bronce grande.

Con los bergantines flotando, Cortés mandó a su capitán Pedro de Alvarado con 30 hombres a caballo, 170 peones de artillería y más de 30,000, indios a situarse en Tlacopan, mientras que a Cristóbal de Olid lo envió a Culhuacán acompañado por 33 hombres a caballo, 180 peones de artillería y 30,000 indios; rumbo a Ixtapalapa mandó a Gonzalo de Sandoval con 23 de caballería, 160 peones de artillería y 40,000 indios. En tanto, Cortés, ahora como improvisado marinero, se encargó de comandar la flota. Era el 10 de mayo de 1521, se daba inicio al cerco, los días de Tenochtitlan estaban contados.

Mientras en la ciudad sitiada, Cuauhtémoc se había hecho fuerte aprovisionándose del mayor número de hombres, armas y material de guerra, pero cometió un grave error táctico al no proveerse de los suficientes alimentos para resistir el sitio, esto sin contar la vulnerabilidad que implicaba aislarse en un islote cuyas comunicaciones con tierra firme se bloquearon con facilidad y a esto habrá de agregarse el hecho de que los mexicas desconocían las batallas navales, debido a que usaban unos lanchones sólo para la transportación de sus efectivos y aun cuando tuvieron noticias de la construcción de las naves ordenadas por Cortés, su sorpresa debió ser inmensa cuando descubrieron que desde ellas combatían los españoles.

En los inicios del sitio a la gran Tenochtitlan, Cortés recibió la noticia de que el joven Xicoténcatl, cuyas opiniones siempre habían sido contrarias a los españoles, pero siempre había acatado las decisiones de su padre Mexicatzin, cuando estaba por iniciar las operaciones militares contra la ciudad de Tenochtitlán, abandonó al ejército que se encontraba bajo sus órdenes y se había regresado a Tlaxcala. Cortés envió a dos soldados en su busca para convencerlo de regresar, pero Xicoténcatl se negó y los despidió de manera hostil. Con ese motivo, Cortés mandó apresarlo como rebelde y por más súplicas que hizo Pedro de Alvarado, intercediendo por el joven ordenó su ejecución por desertar. Según palabras de Tácito, "No puede dejar de haber vicios y pecados donde y mientras hubiere hombres", esto se debe a que mientras Cortés ajusticiaba a Xicoténcatl, Cuauhtémoc hacía lo mismo con sus primos, los hijos de Moctezuma, por ser partidarios de concertar la paz y así salvar a la ciudad.

Durante setenta y cinco largos días lucharon con valor sitiados y sitiadores. Los muertos de ambas partes se contaban por miles y no se diga los heridos. Los actos heroicos como las crueldades no fueron privilegio exclusivo de ninguno de los contendientes, ambos las cometieron por igual. La

Después de la batalla

Ya he dicho (que) como veníamos tan destrozados y heridos de la entrada por mí memorada, pareció ser que un gran amigo del gobernador de Cuba que se decía Antonio de Villafaña, natural de Zamora o de Toro, se concertó con otros soldados de los de Narváez, que aquí no nombro sus nombres por su honor, que ansí como viniese Cortés de aquella entrada, que le matasen a puñaladas, y había de ser desta manera: Que como en aquella sazón había venido un navío de Castilla, que cuando Cortés estuviese sentado a la mesa comiendo con sus capitanes, que entre aquellas personas que tenían hecho el concierto que trajesen una carta muy cerrada y sellada, como que venía de Castilla, e que dijesen que era de su padre, Martín Cortés, y que cuando la estuviese leyendo le diesen puñaladas, ansí al Cortés como a todos los capitanes y soldados que cerca de Cortés nos hallásemos en su defensa.

BERNAL DÍAZ DEL CASTILLO,
HISTORIA VERDADERA DE LA CONQUISTA DE LA NUEVA ESPAÑA.

lucha era a muerte. Cuauhtémoc prefirió el sacrificio de su pueblo antes que claudicar. Por su parte, para Cortés no cabía el perdón sin una rendición incondicional.

Los españoles y sus aliados lucharon sin desfallecer por agua y por tierra. Cuando lograron entrar a la ciudad debieron pelear casa por casa, para conquistar palmo a palmo de terreno, no sin muchos muertos y prisioneros a los que veían ser inmolados en los teocallis, conforme a los ritos de los mexicas, quienes con hombres, mujeres y niños defendían con denuedo cada centímetro de su ciudad, agobiados además por el hambre y la sed; esto último se debió a la destrucción del acueducto que surtía de agua potable a la ciudad y por estar en poder de los españoles el reino de Chalco, principal proveedor de alimentos para Tenochtitlan.

Finalmente, el martes 13 de agosto de 1521 (festividad de san Hipólito) se presentó ante Cortés el cihuacóatl para informarle que Cuauhtémoc, lejos de atender sus peticiones de rendirse, prefería morir antes de entregarse, a lo que Cortés respondió con frialdad: "y de ser así, todos los mexicas morirán". Los españoles y sus aliados ya eran dueños de la ciudad en ruinas, cientos de cadáveres bloqueaban las calles, el hedor era insoportable, los sobrevivientes deambulaban sin rumbo y muchos de ellos se apresuraban para abandonar la ciudad por miedo a los aliados de Cortés, quienes sin piedad mataban y sacrificaban a sus viejos enemigos.

En uno de los barcos que se utilizaron para el sitio de la ciudad, se encontraba con sus hombres el capitán García Olguín, cuando observó que algunas canoas con gentes principales se disponían a huir, ordenó a los remeros de las canoas detenerse y como lo desobedecieron preparó su artillería, frente a la amenaza, desde las lanchas le hicieron señales para detenerlo y de inmediato les dio alcance, uno de sus soldados, de nombre Juan de Mancilla, saltó a la piragua y tomó prisioneros a Cuauhtémoc, al rey de Tlacopan y al antiguo señor de Texcoco, desde ese momento cesó la guerra, se hizo el silencio y continuó la lluvia. Los prisioneros fueron presentados ante Cortés, quien por medio de su intérprete doña Marina, les invitó a tomar asiento y queriendo mostrarse magnánimo les aseguró que su vida y su reino serían respetados. El tlatoani vencido contestó con dignidad: "Yo ya he hecho todo mi poder para defender mi reino, y liberarlo de vuestras manos; y pues o ha sido mi fortuna favorable, quitadme la vida, que será muy justo, y correcto acabaréis el reino mexicano, pues mi ciudad y vasallos tenéis destruidos y muertos". El cronista Bernal Díaz del Castillo atestigua que ganó la emoción al tlatoani, que las lágrimas interrumpieron sus palabras, junto con él lloraron su derrota los señores principales y agrega: "Llovió y relampagueó y tronó aquella tarde y hasta media noche mucho más agua que otras veces. Y después de que se hubo preso *Guatemuz* quedamos tan sordos todos los soldados como si de antes estuviera un hombre encima de un campanario y tañesen muchas campanas, y en aquel instante que las tañían cesasen de tañer".

La *Relación de Tlatelolco,* elaborada en el año de 1528, también relata con dramatismo la rendición de México-Tenochtitlan:

En los caminos yacen dardos rotos,
los cabellos están esparcidos.

Destechadas están las casas,
enrojecidos tienen sus muros.
Gusanos pululan por calles y plazas,
y están las paredes manchadas de sesos.

Rojas están las aguas, cual si las hubieran teñido,
y si las bebíamos, eran agua de salitre.

Golpeábamos los muros de adobe en nuestra ansiedad
y nos quedaba por herencia una red de agujeros.

En los escudos estuvo nuestro resguardo,
pero los escudos no detienen la desolación.

La guerra había llegado a su fin, en realidad no hubo "triunfo ni derrota, fue el doloroso nacimiento del pueblo mestizo que es el México de hoy".

Palabras de un rey

> Dios es comienzo, y medio, y acabamiento de todas las cosas, é sin el ninguna cosa puede ser, ca por el su poder son fechas, é por el su saber son gobernadas, é por la su bondad son mantenidas: "onde todo ome que algún buen fecho quisiere comenzar, principio debe poner é á de facer á Dios, rogándole, é pidiéndole merced, que le dé saber, é voluntad, é poder, que lo pueda bien acabar".
>
> ALFONSO X,
> *PRÓLOGO DE LA "PRIMERA PARTIDA".*

5. El amanecer del sexto sol

La era del quinto sol había llegado a su fin, se habían cumplido de forma cabal las profecías de Quetzalcóatl, así como los augurios de Botello, el acertado astrólogo que acompañó a Cortés. De la otrora orgullosa Tenochtitlan apenas si quedaban los cimientos de sus fabulosas construcciones, todo estaba en ruinas, todo era muerte y desolación, era imposible permanecer en ella.

El fin de un gran imperio

Cortés estuvo en Tenochtitlan tres o cuatro días más, la multitud de indios aliados al capitán se dieron a la tarea de saquear a la ciudad mientras que los españoles se entregaron a la búsqueda del oro y las joyas, lograron reunir la suma de 130,000 castellanos, de esta cantidad se separó el quinto real, el resto fue repartido entre ellos según correspondía. Como no quedaron satisfechos con esa cantidad, por considerarla insuficiente, debido a que eran muchos los soldados y muchas más sus deudas, decidieron arrancar el secreto por cualquier medio posible a Cuauhtémoc sobre el lugar en donde había sido escondido el tesoro de su pueblo. El tlatoani no dijo nada respecto de su paradero, por lo que decidieron someterlo al tormento con el consentimiento de Cortés.

Una vez atados Cuauhtémoc, el señor de Tacuba y varios señores principales más, les quemaron los pies con aceite hirviendo para que revelaran el lugar en donde habían escondido o tirado el dichoso tesoro. Como no soportaba el tormento, el señor de Tacuba intentó pedir a Cuauhtémoc licencia para hablar y terminar de esta manera con sus dolores, según Gómara el tlatoani dijo con estoicismo: "¿Estoy yo en algún deleite o baño?". Alguno de los señores falleció por el suplicio, pero Cuauhtémoc fue retirado de él por el propio Cortés. Este reprobable hecho, como lo señala el maestro José Vasconcelos, no tiene otra explicación que la codicia.

Según Bernal Díaz del Castillo, Cuauhtémoc terminó por decir el lugar en donde se había arrojado el codiciado tesoro y este lugar era una alberca en Tlatelolco, de donde "sacamos un sol de oro como el que nos dio Moctezuma, y muchas joyas y piezas de poco valor que eran del mismo *Guatimuz*".

Don Hernando Cortés como capitán general y justicia mayor de la Nueva España, decidió abandonar la ciudad de Tenochtitlan y pasar a la vecina villa de Coyoacán para sentar allí sus reales, además desde ese sitio gobernar la nueva provincia indiana, unida a perpetuidad a la Corona de Castilla, según lo dispuso la Reina Católica.

La villa de Coyoacán, fundada por el año de 1332, según lo afirma Muñoz Chimalpin, tenía 6,000 casas en ese año de

1521, de acuerdo con las noticias que Díaz del Castillo proporciona, unas estaban construidas sobre la tierra y otras en el agua, rodeadas de frondosas arboledas y amenos huertos que conformaban un delicioso ambiente. El cacique local, que convertido al cristianismo tomó el nombre de Juan de Guzmán Ixtolinque, cedió a Cortés sus aposentos en la villa y desde ese lugar el capitán proveyó la fundación del ayuntamiento y la traza de la gran Tenochtitlan, cabeza y corte de los reinos de la Nueva España, premiada más tarde por Carlos V con un escudo de armas y los títulos de insigne, muy noble y muy leal. En su cuarta carta de Relación, Cortés profetizó al emperador: "puede creer vuestra sacra majestad que de hoy en adelante en cinco años será la más noble y populosa ciudad que haya en lo poblado del mundo y de mejores edificios".

En aquella villa, la de Coyoacán, cuyo nombre significa "lugar de coyotes", estuvo aposentado don Hernán hasta el año de 1524, año en el que debieron mudarse todas las autoridades a la nueva ciudad, cuyo asiento fue escogido para bien o para mal por el propio Hernán Cortés. Funda la decisión en consideraciones de carácter político, pues le pareció ilógico erigir una nueva capital frente a la antigua que conservaba –aunque ruinosos– sus templos y palacios, testigos mudos de su viejo esplendor. "Por esto, sin duda, y por ser cosa tan nombrada, y de que tanto caso y memoria siempre se ha hecho", resolvió "poblar la ciudad de Temistitán". Pero como podemos apreciar en la actualidad y como lo hizo notar en su tiempo el virrey don Luis de Velasco: "El sitio de esta ciudad es el peor que se pudo escoger, y el que más azares tiene en la tierra".

Mientras Cortés se ocupaba por afianzar y extender sus conquistas, organizar el gobierno así como muchas otras cosas más referentes al reino, Diego de Velázquez no cesaba de buscar los medios para vengarse de él y corrió con tan buena fortuna que se topó con el poderoso obispo Juan Rodríguez de Fonseca, consejero del emperador, quien de manera semejante tenía aversión por Cortés. Ambos enemigos unieron sus esfuerzos para despojar del mando al extremeño, además de sujetarlo a un proceso. Con esos fines lograron que se designara a Cristóbal de Tapia para que investigara lo ocurrido entre Diego de Velázquez y Hernán Cortés, pero además se le nombró gobernador de la Nueva España mientras se desahogaba el correspondiente proceso.

Cristóbal de Tapia llegó a Zempoala a finales del año 1521. Al enterarse Cortés, envió a fray Pedro Melgarejo de Urrea para tratar con Tapia y después de él a dos representantes, con la

Poblar el territorio

> Quien no poblare, no hará buena conquista; y no conquistará la tierra, no se conquistará la gente; así que la máxima del conquistador a de ser poblar.
>
> FRANCISCO LÓPEZ DE GÓMARA,
> *HISTORIA GENERAL DE LAS INDIAS.*

orden de revisar los nombramientos del gobernador.

Cortés, al fin y al cabo hombre con buena estrella, descubrió que las reales provisiones presentadas por Tapia no estaban suscritas ni refrendadas por el secretario del rey, en estas condiciones se decidió con el mayor respeto a obedecer y no cumplirlas por el bien del reino así como por el mejor servicio del rey. Así que Tapia, por no armar mayor alboroto, decidió abandonar Zempoala y regresar a España.

Acrecentando el reino

Mantenía Cortés de cerca a Cuauhtémoc y siempre bien vigilado, pero también se ocupó por extender su conquista para abarcar los límites completos del imperio vencido. Para lograrlo, encomendó a sus capitanes realizaran diversas empresas en ese sentido; envió a Cristóbal de Olid a Michoacán, a Castañeda y Vicente López les encargó someter la región del Pánuco, a Francisco de Orozco lo envió a Oaxaca, Juan Álvarez Chico tuvo a su cargo la zona de Colima, Villafuerte la de Zacatula, dejó a Rodrigo Rangel en Veracruz y envió a Alvarado a Tatutepeque, al sur de Oaxaca.

Por noticias que le proporcionaban los indios y debido al conocimiento que tenía Cortés acerca del descubrimiento realizado tiempo atrás por Basco Núñez de Balboa, supo el capitán que en dirección al occidente podía llegar a ese legendario mar tapizado de islas ricas y misteriosas. Sabía de la existencia de las islas del Moluco, lugar en donde abundaban las especias tan apreciadas en Europa como el mismo oro y además tenía la certeza de que surcando por aquellas aguas se podía completar el sueño del almirante Cristóbal Colón de llegar al Cypango, al Catay y a las Indias Orientales.

Para lograr este deseo acerca de alcanzar aquellas aguas y teniendo noticias de que no se encontraban muy lejos, envió a algunos hombres acompañados por indios de la región. Unos fueron a Zacatula mientras que otros llegaron hasta Tehuantepec, tomando posesión de esas tierras en nombre del rey, regresaron para informar a su capitán acerca de sus resultados y trajeron consigo algunas piezas de oro así como a unos indios de la región, a los que el capitán agasajó con regalos, por lo que estos últimos regresaron muy contentos a sus tierras, dando "por doquiera que iban, buenas nuevas de Cortés". La complejidad de los problemas y asuntos existentes, le obligaron a Cortés por el momento, a dejar pendientes sus deseos de navegar por el Pacífico, pero confiaba y aguardaba la posibilidad de realizar el viaje en un mejor momento.

En el año de 1522, por vez primera los europeos pudieron admirar las joyas y las piezas artísticas fabricadas por los antiguos mexicanos en una exposición montada en la ciudad de Bruselas, con los objetos enviados por Cortés a Carlos V. Entre los visitantes a esta muestra se encontró el artista Alberto Durero, famoso por sus grabados, quien anotó en su *Diario de viaje por los Países Bajos* sus impresiones al respecto: "También vi una cosa que se le había traído al Rey del nuevo país de oro; un sol enteramente dorado, del ancho de una braza, y una luna de plata igualmente grande, así como dos cámaras llenas de armamento, compuesto de toda clase de armas de las suyas, armaduras, cañones, fabulosos artilugios bélicos, extraños vestidos, ropa de cama y toda clase de objetos fantásticos de usos muy diversos, más preciosos y hermosos de ver que otras maravillas. Estos objetos eran todos valiosísimos, y se tasaron en cientos de miles de florines. Y no he visto en los días de mi vida en otra cosa que hubiera alegrado mi corazón tanto como estos objetos. Pues he visto en ellos un arte asombroso y me ha maravillado el sutil ingenio de los hombres de esos países extranjeros. No sé decir las cosas que allí vi".

Para mayo de 1523 brilló de nuevo la buena estrella del

Muerte y vida de la ciudad

Luego que México fue ganado en nombre de su Majestad, empezó el buen Marqués a desbaratar los cués y quebrar los ídolos y allanar la ciudad y cegar las acequias y repartir solares, haciendo a los chalcas, tezcucanos y xochimilcas y tepanecas trujesen estacas y piedra, tierra y otros materiales para cegar las lagunas y remansos que había y edificar casas, trazando las calles y moradas lo mejor que pudo y entendió, teniendo por más seguro fundar en México, en aquella laguna, que no fuera, por ser la fuerza de la provincia toda de México, y por tener allí sujetos a los indios, porque no se le rebelasen, mudando sitio y fundamento de la ciudad en otra parte, como pudiera.

Fray Diego Durán,
Historia de las Indias de Nueva España.

capitán, pues llegaron al puerto de Veracruz –procedentes de España– sus primos Rodrigo de Paz y Francisco de las Casas, traían consigo la Real Cédula de Carlos I de España, firmada en Valladolid el 15 de octubre de 1522, en la cual reconocía sus servicios, le confirmaba en los cargos de capitán general y justicia mayor, además de que lo nombraba gobernador de la Nueva España.

Antes de arribar a Veracruz, los amigos de Cortés hicieron escala en Cuba y quizá para hacerle una mala pasada al envidioso Velázquez, mandaron pregonar el triunfo de Cortés, siendo tan grande el enojo del mezquino gobernador, que asevera Bernal Díaz de Castillo, "de pesar cayó malo, y de allí a pocos meses murió muy pobre y descontento".

Organización del reino

Como era la costumbre en el gobierno español, los gobernadores tenían la facultad de expedir las disposiciones legislativas necesarias para el buen gobierno de su provincia. Las primeras ordenanzas dictadas por Cortés fueron en Tlaxcala, cuando disponía su partida para el asedio a la ciudad de Tenochtitlan y en ellas daba normas para un buen gobierno, así como el orden del ejército. En los años de 1524 y 1525 promulgó nuevas ordenanzas, las cuales fueron descubiertas en los archivos del duque de Terranova y Monteleone (descendiente de Cortés) en el Hospital de Jesús, mismas que fueron publicadas por primera vez por Lucas Alamán en sus *Disertaciones sobre la Historia de México*.

En las ordenanzas de 1524, el conquistador dispuso que fuera obligatorio el servicio militar de los vecinos y diversas normas relativas a la siembra, así como propagación de plantas y animales provenientes de Europa u otras partes de América, también dio algunas disposiciones relativas a la colonización del territorio. En las ordenanzas de 1525, reglamentó la organización municipal y la forma en que los encomenderos podían servirse y aprovecharse de los naturales. Con estas ordenanzas, primeras de nuestra historia, fueron sentadas las bases jurídicas del Reino de la Nueva España y por tanto de la nación mexicana.

Además de los asuntos de gobierno y la economía, la evangelización de los naturales era otra preocupación de Cortés, pues como ya se dijo, esto lo hacía tanto por convicción propia, como por cumplir con la carga impuesta por Alejandro VI a los reyes castellanos en la famosa Bula *Inter Caetera.* Cabe recordar también, que el eje de la conquista de Cortés siempre fue ganar más almas para Dios y tierras para el rey.

En todos sus discursos de contenido religioso, Cortés no dejaba de animar a los indios acerca de la próxima llegada de misioneros para que les explicaran mejor lo que él les decía y para ello, en sus misivas al emperador, siempre insistió en la conveniencia de enviar "personas religiosas de buena vida y ejemplo". Aunque antes de 1524 llegaron algunos misioneros, no fue sino hasta el 13 de mayo de ese

Noticias del rey

> Vos el dicho Hernándo Cortés, tengáis o pretendáis tener por el descubrimiento e conquista de la dicha tierra seáis Nuestro Gobernador e Capitán General de toda la tierra e provincias de la dicha Nueva España e de la dicha ciudad de Tenostitlán, e que hayáis tengáis la Nuestra Justicia civil e criminal en las ciudades, villas e lugares que al presente están en ellas, pobladas de aquí en adelante, ansí de los naturales de la dicha Tierra, como de los cristianos españoles que en ella están e de aquí en adelante a ellas fueren con los oficios de Alcaldías e Alguacilazgos e otros Oficios de justicia que en ellas óbviese.
>
> CARLOS V,
> *REAL CÉDULA DE 15 DE OCTUBRE DE 1522.*

año que desembarcaron en Veracruz los doce franciscanos encabezados por fray Martín de Valencia, para dar inicio a la conquista espiritual de la Nueva España.

Para recordar a Carlos V –entonces muy ocupado en la solución de los problemas internos de España y la política europea– de la existencia de estas lejanas tierras de América, Cortés envió a la madre patria como procuradores a Alonso de Ávila y Antonio de Quiñónez, a los cuales les encargó también llevar el quinto real y riquísimos regalos, para así lograr la atención del César. Los navíos zarparon de Veracruz rumbo a España en julio de 1524 con 3,689 pesos de oro bajo, 8,193 kilogramos de plata, rodelas, collares, brazaletes, vasos y otros muchos objetos elaborados en estos metales, objetos de arte plumario, algunas curiosidades artesanales de los indios y adornos preciosos para la imagen de Nuestra Señora, venerada en la población de Guadalupe, en la Extremadura. Por desgracia, las naves fueron atacadas por piratas franceses que se apoderaron del preciado cargamento, que nunca llegó a su destino, pero, según dijo Cortés con optimismo, este acto sirvió para que "los conozcan los franceses para que aprecien por ellas las grandezas del monarca de España".

Entre las piezas artísticas del México prehispánico que se enviaron a Europa y que actualmente se conservan en sus museos, destaca el famoso Penacho de Moctezuma, exhibido en al actualidad en el museo imperial de Viena. De esta pieza de singular belleza, no existe en realidad constancia alguna de

De Cortés al rey

Tengo en tanto estos navíos, que no lo podría significar; porque tengo por muy cierto que con ellos, siendo Dios Nuestro Señor servido, tengo de ser causa que Vuestra Cesárea Majestad sea en estas partes Señor de más reinos y señoríos que los que hasta hoy en nuestra nación se tiene noticia; a Él plega encaminarlo como Él se sirva y Vuestra Cesárea Majestad consigna tanto bien, pues creo que con hacer yo esto, no le quedará a Vuestra Excelsitud más qué hacer para ser monarca del mundo.

HERNÁN CORTÉS,
CUARTA CARTA DE RELACIÓN.

que haya pertenecido al emperador Moctezuma, ni tampoco de cómo ni cuándo llegó a Europa. Se sabe con certeza que formó parte de la colección del conde Ulrich de Montforte Tettnang, de quien la adquirió en Suabia por el año de 1590 por medio de Fernando II del Tirol, hijo del emperador Fernando I, para después pasar a formar parte de la colección imperial.

6. Dos crímenes

Don Hernando la pasaba muy bien en la Nueva España, manteniendo en Cuba a doña Catalina de Xuárez, la mujer con quien contrajo matrimonio, más por obligación que por amor. Mientras que en estas tierras, disfrutaba de vivir en unión con doña Marina y muchas otras indias que le fueron obsequiadas por los caciques, incluyendo a una hija de Moctezuma.

Mejor lucro que justicia

Gómara describe a Cortés como un hombre de ingenio y hábil para todo, era "bullicioso, altivo, travieso, amigo de las armas", pero más de las mujeres, según expresó el autor, era celoso en su casa y travieso en la de los demás.

La diversión terminó a mediados de 1522, cuando recibió la noticia de que en un lugar cercano a Coatzacoalcos desembarcaba su esposa, a quien había mandado traer de Cuba y que viajó acompañada por su hermano Juan y un grupo de mujeres, incluyendo a la abuela de Gonzalo de Sandoval. El capitán, como buen caballero, ordenó que fueran atendidas en la forma debida y se les brindaron muy buenos recibimientos a todo lo largo de su trayecto hasta la villa de Coyoacán, en donde él en persona recibió a la comitiva.

Doña Catalina de Xuárez "no era mujer industriosa ni diligente para entender en su hacienda ni granjearla ni multiplicarla en casa ni fuera de ella, antes era mujer muy delicada y enferma y que no se levantaba de un estrado a la continua" y como si esto fuera poco, algunos decían que tenía mal carácter y que gustaba de humillar a Cortés delante de la gente, es probable que como venganza por su forzado matrimonio y las infidelidades de su marido.

La pareja asistió a la iglesia el día de Todos los Santos de 1522 y después de la ceremonia religiosa, el capitán que

La muerte de doña Catalina de Xuárez

Allí estuvo con su marido el marqués del Valle, y estando muchos días había en la tierra (ella era muy enferma de la madre, mal que suele ser muy ordinario en las mujeres), una noche, habiendo estado muy contentos, y aquel día jugado cañas y hecho muchos regocijos y acostándose muy contentos marido y mujer, a media noche le dio a ella un dolor de estómago, cruelísimo, y luego acudió el mal de madre, y cuando quisieron procurar remedio, ya no le tenía; y así entre las manos dio su ánima a Dios.

JUAN SUÁREZ DE PERALTA,
TRATADO DEL DESCUBRIMIENTO DE LAS INDIAS.

gustaba de las fiestas, ofreció un convite en su casa a la que asistieron muchos invitados y bailaron hasta la hora de la colación. Durante el festejo se suscitó un pequeño altercado entre los cónyuges y por el cual doña Catalina decidió retirarse a sus aposentos. Despedidos los comensales y ya cerca de la medianoche, Cortés despertó a sus sirvientes, pidiendo su auxilio porque su esposa se encontraba enferma y cuando acudieron a verla la encontraron muerta.

Para ese tiempo, Cortés contaba con muchos enemigos que estaban envidiosos de su posición y riquezas, los cuales de inmediato esparcieron el rumor de que el capitán había ahorcado a su mujer con sus propias trenzas. Después de realizado el sepelio de la mujer, según se cuenta, fray Bartolomé de Olmedo sugirió al viudo mandara desclavar el ataúd, para mostrar el cadáver a los asistentes y terminar con las murmuraciones, a lo que el conquistador contestó furioso: "Quién tal diga vaya por bellaco, porque no tengo que dar cuentas a nadie".

Siete años después María de Marcayda, madre de Catalina, denunció ante los tribunales el supuesto asesinato. Corría el año de 1529, la Nueva España estaba gobernada por la Real Audiencia, presidida por Nuño de Guzmán, uno de los peores enemigos de Cortés, quien quizá debió incitar a la ex suegra para que hiciera la acusación y obtuviera con ello una buena cantidad de dinero, mientras que él consiguió desprestigiar a Cortés y acabar con su predominio político.

Se presentaron muchos testigos en el juicio, la mayor parte sirvientes de Cortés, quienes atestiguaron en su contra.

La muerte de la esposa

> Y estando con el dicho su marido don Hernando Cortés, siendo el dicho don Hernando Cortés obligado a la mirar y guardar, así por ser su marido, como era, como por ser justicia mayor el dicho don Hernando Cortés; el sobredicho reo, por mí denunciado y querellado, con poco temor de Dios y de su rey y señor, so cuyo amparo todos vivimos, sobre hecho pensado, a salva fe, estando con ella en una cámara donde dormían, la maniató, a la dicha doña Catalina Suárez mi hija y hermana, sin poder llamar a nadie que la socorriese, llamando a Dios nuestro Señor y a Santa María su Madre nuestra Señora, le echó unas azalejas a la garganta y le apretó hasta que la ahogó y murió naturalmente.
>
> *Querella de María de Marcayda,*
> *4 de febrero de 1529.*

Pero en su favor declararon las hermanas y el sobrino de la difunta Catalina, además de personas intachables como fray Pedro de Gante Motolinia, y el obispo don fray Juan de Zumárraga. Don Joaquín García Icazbalceta en su biografía acerca de Zumárraga, escribió: "no se le puede dar mucha fe a un proceso formado por el encono, guiado por la mala fe y sostenido por el temor o declaraciones interesadas de enemigos declarados o de ruines sobornados". En el resto de sus días, Cortés nunca mostró algún remordimiento y eso, dice Thomas, puede ser "una razón más para creerle inocente".

Un nuevo traidor

Obsesionado con la idea de encontrar un estrecho que uniera ambos océanos, en enero de 1524 el gobernador envió a su capitán Cristóbal de Olid hacía el sur, con la orden de que encontrara el estrecho, tomar posesión de él en nombre de los reyes, que lo poblara y obtuviera noticias sobre las riquezas del lugar.

A los pocos meses de haber salido la expedición, Cortés recibió avisos de que Olid andaba en tratos con su enemigo tradicional, el gobernador Velázquez. Ni tardo ni perezoso, Cortés tomó providencias y en los inicios del mes de junio envió a su primo Francisco de Las Casas, al frente de cinco navíos, con mucha gente y bien pertrechados con el encargo de detener y castigar al infiel Olid.

Al llegar a las Hibueras (Honduras), Las Casas y sus hombres sostuvieron enfrentamientos armados con los soldados de Olid, resultando preso el propio Las Casas. Los amigos de Cortés se reunieron con Olid y después de una cena, se lanzaron sobre él apresándolo, lo juzgaron y de inmediato lo ajusticiaron como un traidor. Cortés se encontraba tan impaciente por la falta de noticias, que decidió emprender una nueva expedición encabezada por él.

Viaje de infortunio

El 12 de octubre de 1524 salió Hernán Cortés rumbo a las Hibueras, dejó encargada la Nueva España a Estrada, mientras que Albornoz quedó como teniente y el licenciado Zuazo como justicia mayor. Se hizo acompañar por un impresionante contingente de caballería e infantería, clérigos, cirujanos, pajes y hasta músicos con chirimías, sacabuches y dulzainas. También formaron parte del grupo Cuauhtémoc, el señor de Tacuba y algunos otros señores principales.

La idea de expansión

> En este tiempo fue el Marqués a las Higueras que dicen, y llevó consigo muchos principales de México y de Texcoco y de los tepanecas y xochimilcas y chalcas; finalmente, de toda la tierra. Y entre ellos, el animoso y valeroso rey de México Cuauhtemoctzin, sólo con el intento de que no quedase en la ciudad y cometiese alguna traición, viendo la ciudad con tan poca gente.
>
> Fray Diego Durán,
> *Historia de las Indias de la Nueva España.*

Cerca de Orizaba, Hernán Cortés asistió a la boda de su fidelísima intérprete doña Marina con Juan Jaramillo. Después el ejército marchó hasta Coatzacoalcos en medio de toda clase de festejos y placeres. De ahí en adelante el camino se volvió un infierno, ahora debían luchar con la naturaleza, en mitad de la selva, con el clima, con los inmensos ríos, las fieras e insectos, entre otros muchos inconvenientes.

Durante el trayecto, el que no moría caía enfermo y así llegaron los sobrevivientes hasta Izancánac, en la provincia de Acalan, al sur de la laguna de Términos en Campeche, en donde un indio mexicano llamado Mexicaltzingo, que al convertirse al cristianismo se llamó Cristóbal, en secreto denunció a Cortés que Cuauhtémoc y los principales que viajaban en su compañía promovían la rebelión de los indios para acabar con ellos. Por esta denuncia, Cortés procedió a interrogar a los acusados y al parecer éstos aceptaron su culpabilidad, por tanto el capitán ordenó se les ahorcara de inmediato, acto que se realizó en un árbol de pochote. Según

La caída de Cuauhtémoc

Fue Cuahutimoccìn hombre valiente, según de la historia se colige, y en todas sus adversidades tuvo ánimo y corazón real, tanto al principio de la guerra para la paz, cuanto en la perseverancia del cerco, y así cuando le prendieron, como cuando le ahorcaron, y como cuando, porque hablase del tesoro de Moctezuma, le dieron tormento, el cual fue untándole muchas veces los pies con aceite y poniéndoselos luego al fuego; pero más infamia sacaron que oro, y Cortés hubiera debido guardarlo vivo como oro en paño, pues era el triunfo y gloria de sus victorias. Mas no quiso tener que guardar en tierra y tiempo tan trabajoso; es verdad que se preciaba mucho de él, pues los indios le honraban mucho por su amor y respeto, y le hacían aquella misma reverencia y ceremonias que a Moctezuma, y creo que por eso le llevaba siempre consigo por la ciudad a caballo, si cabalgaba, y si no, a pie como él iba.

Francisco López de Gómara,
Historia general de las Indias.

José Vasconcelos éste fue el peor crimen que cometió Cortés, para el cual no existe disculpa alguna, pues en las guerras por el miedo se llegan a cometer las peores crueldades.

La expedición continuó su camino y atravesó el Petén guatemalteco, para después llegar hasta las Hibueras, lugar en donde al conquistador se le informó de la inutilidad de su penoso viaje, debido a que Olid había sido ajusticiado. Después de realizar algunas conquistas y nuevas fundaciones, Cortés emprendió el regreso a la capital con su ejército diezmado, habiendo hecho el trayecto algunos por mar y otros por tierra, llegaron a la ciudad de México, el 19 de junio de 1526, sólo para encontrarla hundida en un inmenso caos.

7. Juicios y prejuicios

Cortés fue el más preclaro exponente de la llamada generación de los conquistadores, hombres cuyas hazañas parecen sacadas de las obras del gran poeta ciego, aunque con la enorme diferencia de que fueron reales. Las proezas de hombres como Orellana, Pizarro, Alvar Núñez, Valdivia, Alvarado, etcétera, también superan por mucho a las narradas en las novelas de caballería. "Éramos como amadises", escribió Bernal Díaz.

El declive

Las acciones de Cortés fueron recias y así deben ser descritas mediante las palabras, unas y otras no admiten medias tintas, los vocablos no pueden ser tímidos, se le ensalza o se le denigra, se le admira o se le desprecia. En ese sentido, Diego Rivera no dudó en pintarlo con las formas más monstruosas, mientras que José Vasconcelos y muchos más, no han tenido empacho en llamarlo padre de nuestra nacionalidad. Al fin y al cabo, dijo el latino, que la historia se escribe con ira y parcialidad.

Tragedia de Cortés

Y como si no hubiera rey ni Dios, así se portaban con todos los que no andaban a su labor, y pensando que Cortés no había de volver jamás a Méjico, y por demasiada codicia, aunque publicaban ellos ser para servicio del Emperador, prendieron a Rodrigo de Paz, primo y mayordomo mayor de Cortés y alguacil mayor de Méjico. Le dieron tormento muy cruelmente para que dijese del tesoro, y como no confesaba, pues no sabía de él ni lo había, le ahorcaron, y se apoderaron de las casas de Cortés, con la artillería, armas, ropa y todas las demás cosas que dentro estaban: cosa que pareció muy mal a toda la ciudad.

FRANCISCO LÓPEZ DE GÓMARA,
HISTORIA GENERAL DE LAS INDIAS.

La personalidad de Cortés fue compleja a la vez que contradictoria, al mismo tiempo fue idealista y realista, pecador y virtuoso, cruel y magnánimo, lo mismo empresario que misionero, fue político, minero, legislador, agricultor, escribano, navegante, militar, aglutinador de pueblos y lenguas. Sus proezas como su personalidad también fueron complejas y contradictorias, por eso ha sido adjetivado como héroe y asesino. Todas estas circunstancias unidas al hecho de ser un triunfador, que de ser el hijo de un humilde molinero pasó a ser ennoblecido, famoso y rico, le acarrearon muchas envidias y enemistades tanto en su vida como después de muerto. No obstante, después de cinco siglos aún es capaz de encender pasiones.

Al regreso de su fracasada expedición a las Hibueras, Cortés encontró revuelta a la capital de la Nueva España. Peralmíndez Chirinos y Gonzalo de Salazar, a quienes envió Cortés desde Coatzacoalcos para gobernar junto con los que designó antes de su viaje, propagaron la noticia de que había fallecido el capitán, cargaron de cadenas a Zuazo y lo remitieron a Cuba, mientras que encarcelaban a Rodrigo de Albornoz y a Alonso de Estrada. Salazar y Chirinos obligaron al Cabildo de la ciudad a prestarles su juramento como gobernadores, aprehndieron a Rodrigo de Paz y lo sujetaron a tormento, con el deseo de arrancarle el secreto del lugar en donde su primo, Hernán Cortés, escondía sus tesoros. A finales de 1525 lo ahorcaron, para apoderarse de los bienes de Cortés y persiguieron a sus partidarios.

En enero de 1526 llegó a la capital Martín Dorantes con cartas de Cortés en donde revocaba los poderes que había otorgado a Salazar y a Chirinos, designando a su primo Francisco de las Casas para sustituirlos, pero este último se encontraba ausente, el Cabildo nombró a Estrada y Albornoz como tenientes de gobernador. En tanto, los partidarios de Cortés apresaron a Chirinos y a Salazar para encerrarlos en unas jaulas. El 19 de junio de ese año llegó Cortés a México y reasumió sus cargos. El 2 de julio llegó de España Luis Ponce de León, designado por el rey para seguir el juicio de residencia al capitán y destituirlo como gobernador. En esos días, Cortés escribió a su padre: "Yo quedo agora en purgatorio y tal que ninguna otra cosa le falta para infierno sino la esperanza que tengo de remedio".

Mientras Ponce de León desahogaba el juicio de residencia a Cortés, para investigar su actuación como gobernador y en su caso fincarle responsabilidades, Cortés conservó todos sus cargos, pero la súbita muerte de Ponce de León –atacado de cuartanas y modorra– a mediados del mes de julio, hizo que quedara como teniente de gobernador el licenciado

Carta de Carlos V a Cortés

Después que nos mandé proveer de ese cargo de nuestro Capitán General y Gobernador por muchas personas y cartas he tenido muchas relaciones contra vos y vuestra gobernación e como quiera que según vuestros servicios se debe pensar que los que lo escriben e dicen es con alguna pasión o envidia de lo que vos nos podríades servir, pero por cumplir con lo que soy obligado a la justicia, e conformándome con las leyes de estos reinos he acordado de mandar tomar residencia para me informar de la verdad porque sabida halla mejor lugar para honrar vuestra persona y os hacer las mercedes que yo tengo voluntad y para ello envió al licenciado Luis Ponce de León que es persona de conciencia y que con toda rectitud hará su oficio.

CARLOS V,
CARTA A CORTÉS, 4 DE NOVIEMBRE DE 1525.

Marcos de Aguilar y Cortés conservó sólo los cargos de capitán general y administrador de los indios.

El achacoso licenciado Aguilar despojó a Cortés de los cargos que le restaban el día 3 de septiembre de 1526 y falleció el 1° de marzo de 1527. El Cabildo de la ciudad pretendió restituir a Cortés en todos sus cargos, pero él no aceptó y designó entonces a Gonzalo de Sandoval y Alonso de Estrada para ocuparlos.

Más procesos

Para mala suerte de Cortés, el 9 de diciembre de 1528, Carlos V estableció la primera Audiencia de la Nueva España, encargándole a este órgano –de carácter eminentemente judicial– el gobierno del reino. Como presidente de la Audiencia fue designado Nuño de Guzmán, enemigo de Cortés y como oidores a Juan de Matienzo, Diego Delgadillo, Alonso de Parada y Francisco Maldonado.

Frente a la infinidad de juicios, calumnias y envidias desatados en su contra, Cortés pidió al rey licencia para viajar a España, pero fue hasta principios de 1528 cuando recibió la carta del presidente del Consejo de Indias, don Francisco García de Loaysa, que le decía: "Que le convenía venir a Castilla para que el rey le viese y conociese, aconsejándole que lo pusiese por obra con la mayor brevedad que fuese posible, ofreciéndole su favor e intercesión para su Majestad le hiciese merced". El 5 de abril de 1528 recibió una Real

Cédula autorizando el viaje y otra ordenando a la Audiencia que continuara con el juicio, el cual se suspendió por la muerte de Ponce de León.

Otra carta del rey a Cortés

> Por ende yo cos encargo e mando que luego con aquella brevedad que veis que se requiere, os aderecéis para venir e vengáis en persona a nuestra corte a nos informar de todo lo que dicho es, para que oído y visto vuestro parecer, mandemos proveer en todas las cosas tocantes a esa partes lo que convenga al servicio de Dios e nuestro y bien dellas, en lo cual nos tenemos de vos por muy servidos y tener por cierto la voluntad, que tenemos de vos hacer merced, como vuestros servicios lo merecen, De Madrid a cinco días del mes de abril de mil e quinientos e veintiocho años. Yo, el Rey.
>
> CARLOS V,
> *CARTA A CORTÉS.*

El 9 de diciembre de 1528 tomó posesión la Audiencia, el 22 de enero del siguiente año, se formularon los primeros interrogatorios referentes al juicio de residencia ordenado por el rey. El 4 de febrero de ese año, María de Marcayda denunció a Cortés como uxoricida (asesino). Nuño de Guzmán tenía mucha prisa en acabar con Cortés.

La Audiencia recibió las declaraciones de veintidós testigos supuestamente agraviados por Cortés, reunidos todos ellos de manera hábil por Salazar y Chirinos. Encabezó la lista de testigos Bernardino Vázquez de Tapia, con quien Cortés había tenido grandes desavenencias en Cuba y desde entonces lo contaba entre sus más acérrimos enemigos. Por su parte, Cortés y sus representantes también presentaron diversos testimonios en su defensa, entre ellos se contaron con varios de los más distinguidos misioneros franciscanos. Luego de una inmensa cantidad de recursos procesales, el expediente finalmente llegó al Consejo de Indias para su decisión el 19 de septiembre de 1545. Al año siguiente, Cortés falleció y el Consejo nunca dictó la sentencia definitiva.

A mediados del mes de marzo de 1528, Cortés se embarcó en el puerto de Veracruz, dejando amplias instrucciones a sus administradores para cuidar de sus intereses mientras él volvía. Con el fin de ganar voluntades en España, iba cargado de regalos valiosos para el César y otros altos personajes de la

El rey y la audiencia

E por la presente vos lo encomendamos e cometemos: porque vos mandamos, que luego como llegare des a la dicha Nueva España, toméis al dicho don Hernando Cortés e de sus Alcaldes mayores y lugar tenientes e oficiales, que han sido de la dicha tierra, e de cada uno dellos residencia, por término de noventa días, e cumpláis de justicia a los que dellos hubiere querellosos sentenciando las dichas causas conforme a justicia",

Carlos V, *Instrucciones a la Audiencia, sobre la residencia de Cortés, 5 de abril de 1528.*

Corte. Había comprado dos naves para realizar el trayecto, ambas provistas de abundante matalotaje, mandó pregonar por toda la Nueva España una invitación a cuanta persona deseara ir a Castilla, con pasaje y comida gratis. Se unieron sus fieles amigos Gonzalo de Sandoval, Andrés de Tapia y algunos más. Además lo acompañaron prominentes indígenas como don Pedro Tlacahuepan (hijo de Moctezuma) y su primo don Francisco de Alvarado, un hijo de Maxixcatzin, señor de Tlaxcala y algunos otros más. "Viajaba, dice Gómara, como todo un señor, llevando además ocho volteadores del palo, doce jugadores de pelota, varios indios, enanos y contrahechos".

Poco antes de partir, recibió la noticia del fallecimiento de su padre, acontecimiento que le entristeció mucho, pues entre sus virtudes tenía la de ser un buen hijo. El viaje duró cuarenta y dos días para llegar al puerto de Palos, entonces contaba con cuarenta y tres años de edad y veinticuatro de haber salido de España.

8. El ocaso

Dos asuntos fundamentales ocuparon la mente de Cortés en España, su entrevista con el emperador y el contraer nuevas nupcias. El objetivo del primer asunto era explicar a Carlos V su comportamiento y defenderse de las múltiples acusaciones interpuestas en su contra, también solicitarle mercedes y reconocimientos por los servicios prestados.

De frente al César

Del puerto de Palos, Cortés viajó a Sevilla para visitar a algunos amigos, en Sevilla sufrió la pena de ver morir a Gonzalo de Sandoval, pero continuó su viaje para ver a su madre recién enviudada.

El primer encuentro entre el entonces electo como emperador del Sacro Imperio Romano Germánico y el conquistador del imperio mexica se efectuó en la también imperial ciudad de Toledo, sin poderse precisar la fecha. Presenciaron el encuentro varias personalidades de España, Cortés se postró ante Carlos V y le entregó un pliego diciendo: "aquí tengo este memorial por donde Vuestra Majestad podrá ver si fuere servido, todas las cosas muy extenso como pasaron", al terminar quiso besar los pies del monarca y éste se lo impidió.

El gusto duró poco, a escasos días de la entrevista con Carlos V, Cortés cayó en coma y estuvo a punto de morir. Por insistencia de varios nobles, en especial del duque de Béjar, el emperador decidió visitarlo en persona, en su casa, lo cual le sirvió de cura, pues al poco tiempo se encontró recuperado.

El regalo del rey

Por la presente vos hacemos merced, gracia e donación pura, perfecta y no revocable que es otra entre vivos para agora e para siempre jamás de las villas e pueblo de Cuynacan, Atlacavoye, Matalçingo, Toluca, Calimaya, Cuernavaca, Guastepeque, Acapistla, Yautepeque, Tepistlan, Guaxaca, Cuyulapa, Etlantequila, Vacoa, Teguantepeque, Jalapa, Utlatepeque, Atroyestan, Equetasta, Tluistlatepeaca, Izcalpan, que son en la dicha Nueva España hasta en número de veintitrés mil vasallos y jurisdicción Civil y Criminal alta y baja mero mixto Imperio e rentas y oficios y pechos e derechos, y montes y prados y pastos e aguas corrientes, estantes y manantes y con todas las otras cosas que nos tuviéremos y lleváremos y nos perteneciere y de que podamos y debamos gozar y llevar en las tierras que para nuestra Corona Real se señalaren en la dicha Nueva España.

CARLOS V,
REAL CÉDULA,
6 DE JULIO DE 1529.

En abril de 1529, un año venturoso para Cortés, además de haber acompañado al emperador en su viaje a Zaragoza, envió con Juan de Rada algunos obsequios al Papa Clemente VII obteniendo de éste la legitimación de sus hijos bastardos Martín, Luis y Catalina, el pontífice le concedió además el patronato sobre el Hospital de la Limpia Concepción de María, llamado también de Jesús, fundado por el conquistador, así como los diezmos de sus tierras.

En ese mes también contrajo nupcias con doña Juana de Zúñiga, mujer de gran belleza, según afirma Bernal Díaz del Castillo. Con este matrimonio Cortés consiguió su acceso a la nobleza española, debido a que su esposa era hija del conde de Aguilar y sobrina del poderoso e influyente don Álvaro de Zúñiga, duque de Béjar.

Como buen devoto de la Guadalupana extremeña, una de las primeras visitas que realizó después de su arribo fue a la población de Guadalupe, ahí se levanta un convento franciscano y una magnifica iglesia dedicada a Nuestra Señora, a este lugar llegó el capitán para ofrecerle un novenario en agradecimiento por todos los favores recibidos. Fue ahí donde conoció a doña Francisca de Mendoza, miembro de una de las más importantes familias españolas, que además era cuñada de Francisco de los Cobos, secretario de Carlos V.

Cortés flirteó con la dama, se desconoce si llegó a ofrecerle matrimonio, pero el caso fue que la familia estuvo bien dispuesta. Cortés era famoso y rico, pero como puso pies en polvorosa para casarse con otra, disgustó al secretario del emperador, hombre que desde entonces se convirtió en su enemigo y de seguro fue una poderosa influencia para que Cortés no obtuviera el ansiado cargo de virrey de la Nueva España.

El marqués del Valle de Oaxaca

Después de largas negociaciones iniciadas por Martín Cortés, como representante de su hijo por el año de 1526, Cortés obtuvo por Real Cédula otorgada en Barcelona el 6 de julio de 1529, el señorío a perpetuidad sobre veintitrés mil vasallos, esparcidos en veintidós pueblos de la Nueva España, así como el título de marqués del Valle de Oaxaca.

El señorío constituyó un verdadero estado dentro de la Nueva España, cuyo gobierno estaba a cargo del marqués y éste lo delegaba en un gobernador. También tenía la facultad para designar a todos los corregidores, los alcaldes mayores y demás oficios de la pluma en esas poblaciones, el derecho de percibir los tributos de todos ellos, con lo cual Cortés y sus descendientes fueron muy ricos. Otro nombramiento fue el de capitán general de la Nueva España y de la Mar del Sur.

Después de una estancia de dos años en España, no tan exitosa como hubiera querido, Cortés decidió regresar a la Nueva España para atender sus numerosos negocios y para realizar las expediciones por la Mar del Sur (océano Pacífico), según la capitulación celebrada con la emperatriz Isabel, como reina gobernadora en ausencia de su esposo.

Agricultor y empresario

A finales de 1530, el marqués se embarcó en Sevilla con una comitiva de 400 personas, entre ellas se contaban a su esposa, su anciana madre, los capitanes y señores indígenas que le habían acompañado, su confesor, un grupo de monjas franciscanas y agustinas, además de menestrales, marineros y artesanos, para desarrollar en la Nueva España sus respectivos oficios.

Antes de llegar a la Nueva España, el grupo se detuvo por dos meses en Santo Domingo, pues el marqués tenía la orden de no llegar a México, hasta después de que los oidores de la primera audiencia hubieran sido separados de sus respectivos cargos y se hubiera instalado la segunda audiencia, presidida por don Sebastián Ramírez de Fuenleal, todo esto para evitar un enfrentamiento entre Cortés y sus enemigos.

En su trayecto a la ciudad capital, Cortés soportó la pérdida de su madre, quien falleció en Texcoco, lugar donde fue sepultada en el convento de San Francisco. Finalmente, Cortés se estableció en Cuernavaca, una de las ciudades pertenecientes a su señorío, en donde mandó construir su morada, el actual Palacio de Gobierno, copia del espléndido alcázar edificado en Santo Domingo por el gobernador don Diego Colón.

Durante su estancia en Cuernavaca, el marqués se dedicó a impulsar la agricultura con la siembra de diversas plantas que trajo de Europa y hasta entonces desconocidas en América, como eran la caña de azúcar y las vides, lo mismo hizo con la ganadería, trajo diversas especies de ganado menor. También dedicó tiempo a la minería e industria, al cultivo del gusano de seda y a la construcción de ingenios azucareros, que aún existen en el estado de Morelos.

Por la conquista del Pacífico

Pero su mayor inquietud era la exploración y conquista de las fabulosas islas de la Mar del Sur, inquietud nacida años atrás. Apenas a un año de consumada la conquista de Tenochtitlan, construyó el primer astillero de nuestra historia y fue en Tehuantepec, en ese entonces todas las expediciones salidas de la Nueva España, convertida en trampolín

El nombramiento de marqués

He tenido respecto a vuestra persona e a los dichos vuestros servicios, e por mas honrar y sublimar; e porque de vos e vuestros servicios quede más perpetua memoria, e porque vos e vuestros subcesores seáis más honrados e sublimados tenemos por bien y es nuestra merced e voluntad, que agora e de aquí adelante vos podáis llamar y firmar e intitular e vos llaméis e intituléis Marqués del Valle que agora se llamaba Oaxaca, como en la dicha merced va nombrado: e por la presente vos hacemos e intitulamos Marqués del dicho Valle llamado Oaxaca.

Carlos V,
Real Cédula, 6 de julio de 1529.

para alcanzar el extremo oriente, habían fracasado. Su primo, Álvaro de Saavedra Cerón, se había embarcado en Zihuatanejo en 1528 y no regresó jamás, en el año de 1532 sucedió lo mismo a don Diego Hurtado de Mendoza, quien zarpó de Acapulco. En 1533 una nueva expedición se formó al mando de Diego Becerra y Hernando de Grijalva, de ellos sólo regresó el segundo, después de descubrir las islas Revillagigedo.

Cortés se encontraba dolido por la desaparición del capitán Hurtado de Mendoza, quien además era su pariente y los fracasos de las expediciones siguientes, "como era de corazón que no reposaba, dice Bernal Díaz, en tales sucesos, acordó de no enviar más capitanes sino ir él en persona". Para ese momento, ya se habían construido en los astilleros mexicanos del puerto de Tehuantepec tres nuevos navíos de buena fabricación, "y porque siempre tuvo en pensamiento de descubrir por la Mar del Sur grandes poblaciones tuvo voluntad de ir a poblar, por que ansí lo tenía capitulado con la Serenísima Emperatriz doña Isabel".

Es seguro que también habían llegado a los oídos del marqués, las noticias esparcidas en Xalisco por los compañeros de Ortuño Ximénez, acerca del descubrimiento de la bahía de Santa Cruz, según ellos, en el lugar había abundancia de perlas. Además conocía las versiones de los señores de Cihutlán (Jalisco) acerca de la existencia de una isla rica en perlas y oro, poblada únicamente por mujeres, sin ningún varón, "y que en ciertos tiempos van de la tierra hombres, con los cuales han acceso, y las que quedan preñadas, si paren mujeres, las guardan y si hombres, los echan de su compañía". Animado por las noticias, en abril de 1535 se hizo a la mar en el puerto de Chametla, al frente de tres navíos cargados con 320 hombres, caballos y vituallas para dirigirse a las tierras descubiertas por Ortuño Ximénez. El día 3 de mayo, festividad de la Santa Cruz, llegó el marqués con su armada a la bahía y puerto a los que bautizó con ese nombre y tomó posesión de ellos como hace constar el acta levantada por el escribano real Martín de Castro. Al salir de ese territorio, dice el cronista López de Gómara, se volvieron a perder los tres navíos. Uno regresó a Santa Cruz, otro llegó al Guayabal y el tercero, de nombre *San Lázaro*, fue a encallar cerca de Xalisco. Cortés esperó por varios días el regreso de sus naves y como los alimentos escaseaban, determinó ir en su busca, además de conseguir comida. Navegó por el mar que en la actualidad lleva su nombre, en él tuvo muchos tropiezos y peripecias, logró llegar hasta la población de San Miguel, en donde recibió la noticia de que había llegado a la capital novohispana de don Antonio de Mendoza, nombrado por el emperador como primer virrey de la Nueva España, en esas circunstancias el marqués decidió abandonar la expedición para encontrarse con el virrey, dejándola a cargo de Francisco de Ulloa.

Las nuevas tierras que descubrió Cortés, por largo tiempo se pensó que formaban una gran isla y así las consideraron algunos hasta el siglo XVII, como Mota Padilla en el año 1742. La inmensa isla separada de México por un mar Mediterráneo, estaba a la derecha de la India y "muy llegada al paraíso terrenal", como lo señalaba la geografía fantástica y fue bautizada por

Cortés, según lo afirma Herrera en sus famosas *Décadas*, con el nombre de California, el cual lo tomó de las lecturas caballerescas medievales a las que era muy aficionado, el nombre aparece mencionado desde el siglo XI en la *Canción de Rolando*, e incluso en épocas más próximas en *Las sergas de Esplandián*, novela de García Rodríguez de Montalvo que se publicó en 1510, en ella se narra las aventuras del hijo de Amadís de Gaula y sus encuentros con Calafía, reina de las amazonas, habitantes de la California. Es fácil imaginar que al tener informes provenientes tanto de los indios como de los españoles acerca de la existencia de una isla habitada exclusivamente por mujeres, pues Cortés de inmediato identificó el territorio con el descrito en la novela conocîda por él.

Los conflictos entre el virrey y el marqués no se hicieron esperar, Antonio de Mendoza ordenó el embargo del astillero de Cortés en Tehuantepec, así como todos los navíos y sus aparejos, por si esto fuera poco, el mismo virrey –deslumbrado por las fantasías de fray Marcos de Niza– había dispuesto nuevas expediciones para buscar las siete ciudades de Cíbola. A estos problemas se aunaban nuevas disputas con Nuño de Guzmán, los fracasos de sus expediciones por la Mar del Sur, la inmensa cantidad de dinero invertido en ellas y algunas desgracias más.

Durante todo este tiempo Cortés ya había tenido con su esposa varios vástagos: Luis nacido en Texcoco y Catalina en Cuernavaca, ambos fallecidos en la infancia, Martín, María y Juana que eran originarios también de Cuernavaca. Además de estos hijos legítimos, tuvo una larga prole de hijos naturales, como buen mujeriego que era. En sus años mozos en la isla de Cuba, por el año de 1514, nació doña Catalina Pizarro, hija de Leonor Pizarro. En 1522 tuvo con La Malinche a Martín Cortés, por 1525 nació Luis Cortés, hijo de Elvira de Hermosilla, mientras que con doña Isabel Moctezuma, hija del emperador azteca, procreó a Leonor Cortés Moctezuma en el año 1527 y por último tuvo a una doña María, al parecer hija de una sobrina de Moctezuma.

El fiel soldado del emperador

Viejo y asediado por los pleitos, Cortés decide regresar a España en el mes de enero de 1540. Ésta sería su última travesía por el Atlántico. La comitiva que lo acompañó fue por mucho más pequeña que la anterior, además de sus familiares, lo acompañaban su gran amigo Andrés de Tapia con un pequeño séquito. Su recepción en España tampoco lució tanto como la anterior, se continuaba con su juicio de residencia, cuyo final no vería y por si fuera poco se le prohibió regresar a la Nueva España.

En esa época la flota española sufría graves pérdidas a causa de los piratas argelinos que infestaban el Mediterráneo. Para obtener seguridad, las milicias españolas incursionaron en Argel desde 1518 y para 1541 el emperador envió, al mando de Andrea Doria, una inmensa flota con 24,000 soldados que se reunieron en la isla de Mallorca, de ese punto salieron para enfrentarse al eunuco Azán Agú, en tierras argelinas.

Con cincuenta y seis años de edad, Cortés decidió alistarse como voluntario al servicio del emperador y partió rumbo a Palma de Mallorca acompañado de su paje así como de sus hijos naturales Martín y Luis. Se embarcaron en la galera Esperanza, por invitación de Enrique Enríquez. El marqués sufrió desde entonces graves desaires del emperador, quien ni siquiera quiso recibirlo.

La expedición no tuvo buen término, una tormenta azotó a los barcos y destruyó más de 150. Cortés aseguraba que podía tomar Argel tan sólo con un pequeño contingente, nadie quiso escucharlo y ni siquiera fue invitado a participar con los demás capitanes en la reunión donde planearon el ataque. "¡Dios qué buen vasallo si óbviese buen señor!"

De regreso a España, hundido en la depresión, escribió varias cartas al emperador, las cuales nunca obtuvieron respuesta y continuó sus eternos litigios sin alcanzar solución alguna. Un día, entre la multitud que rodeaba al emperador, escribe Voltaire, Carlos V vio a un hombre que le pareció conocido y le preguntó quién era a lo que éste le contestó: "El que os ha dado más reinos que ciudades os dejaron vuestros padres". La Corona de España nunca fue agradecida con los artífices de su inmenso imperio.

Los últimos días

Antes de morir, Cortés conoció y debió haber platicado mucho con López de Gómara, su cronista, con Ginés de Sepúlveda –el filósofo contradictor del padre Las Casas– y con su también cronista, Francisco Cervantes de Salazar, quien lo consideró más grande que Alejandro de Macedonia y Julio César.

Último deseo de Cortés

Primeramente mando, que si muriere en estos reinos de España, mi cuerpo sea puesto e depositado en la iglesia de la parroquia donde estuviere situada la casa donde yo falleciere, e que allí esté en depósito e hasta que sea tiempo e a mi sucesor le parezca de llevar mis huesos a la Nueva España, lo que le encargo e mando que ansí haga dentro de diez años e antes si fuese posible e que los lleven a la mi villa de Coyoacán, y allí le dén tierra en el monasterio de monjas que mando hacer y edificar en la dicha mi villa, intitulado de la Concepción, de la orden de San Francisco, en el enterramiento que en el dicho monasterio mando hacer para este efecto, el cual señalo e constituyo por mi enterramiento y de mis sucesores.

HERNÁN CORTÉS,
TESTAMENTO.

En el mes de septiembre de 1546, huyendo de las inclemencias del clima madrileño, Cortés se fue a vivir a la Sevilla de sus mocedades, quizá para estar más cerca de América y con la remota esperanza de morir en la capital novohispana. Aunque era inmensamente rico, le agobiaban las deudas causadas por los dispendios y las expediciones fracasadas al Oriente, territorio que nunca alcanzó. En sus últimos días, se vio obligado a empeñar su menaje y riquezas con el agiotista Jácome Boti por 6,000 ducados.

De Sevilla, quiso el marqués mudar su morada a Castilleja de la Cuesta, un pequeño pueblo cercano con menos bullicio para prepararse a bien morir, pues se percataba de que el final de sus días estaba cercano. Cortés se encontraba desilusionado de los hombres, por lo tanto quería estar solo, debía prepararse para comparecer ante el Creador y confiado en su infinita misericordia debió llorar mucho sus cuantiosos pecados.

Un amigo fiel, de nombre Juan Rodríguez, le prestó su casona de la calle Real, allí se instaló Cortés en la cámara baja, dice Gómara, estaba "malo de flujo de vientre e indigestión". Le acompañaban su mayordomo y Juana de Quintanilla quien había venido de Valladolid y a quien no olvidó en su testamento, la mujer tenía conocimientos de medicina. También contaba con las frecuentes visitas profesionales y amistosas de su compadre, el doctor Cristóbal Méndez.

El 12 de octubre de 1547, en la festividad de la Virgen del Pilar, dictó su testamento en Sevilla, ante la fe del escribano público y real Melchor de Portes. El documento, dice José Luis Martínez, "es admirable, en principio, por la equidad cuidadosa con que distribuyó sus bienes", era al fin y al cabo, la obra de un viejo y experimentado escribano. Tuvo un fuerte disgusto cuando se enteró de la boda de su hijo Luis con doña Guiomar Vázquez de Escobar, sobrina de su enemigo Bernardino Vázquez de Tapia. Este hecho le llevó a cambiar las cláusulas de su testamento para desheredar al hijo, acto que realizó en el codicilo otorgado el 2 de diciembre de 1547, ante el escribano de Tomares, Tomás del Río. La debilidad del marqués era tanta que no pudo firmar el documento y en su lugar lo hizo a petición suya su primo fray Diego Altamirano.

Alrededor de la medianoche de ese mismo día, 2 de diciembre, expiró don Hernando Cortés Altamirano, víctima de la disentería a los 62 años de edad, su deseo hubiera sido fallecer en la Nueva España, pues afirma Fuentes Mares, "era su criatura, la patria que se hizo de por sí y para sí, la tela que para vestirse hiló y tejió". Allí quería morir, pero las envidias y la política se lo impidieron, se conformó con pedir como última voluntad que sus restos fueran trasladados a la villa de Coyoacán, lugar desde el cual ordenó la redificación de la gran Tenochtitlan.

El peregrinaje póstumo

El domingo 4 de diciembre fue trasladado el cuerpo de Cortés a Santiponce, cerca de Sevilla, para ser inhumado en la iglesia de San Isidoro. Fue una extraña coincidencia, el que Cortés reposara en la iglesia dedicada al santo obispo hispalense, que novecientos años antes había loado a España profetizando que sería madre de muchas naciones.

La tumba donde se le enterró fue prestada por el duque de Medina Sidonia y en ella colocó su hijo Martín el siguiente epitafio:

> Padre, cuya suerte impropiamente
> Aqueste bajo mundo poseía,

Valor que vuestra edad enriquecía,
Descansa ahora en paz, eternamente.

Al día siguiente, se cumplieron las mandas testamentarias impuestas por el conquistador, se mandaron decir cinco mil misas, de las cuales mil serían aplicadas por las ánimas del purgatorio, dos mil por los muertos en sus conquistas, descubrimientos y demás empresas, las últimas dos mil fueron por aquellos con que hubiese tenido cargos y hubiere olvidado.

El 9 de junio de 1550 falleció don Alonso Pérez de Guzmán, duque de Medina Sidonia y como Cortés ocupaba su tumba, fue exhumado y trasladado al altar de Santa Catarina, en la misma iglesia.

Para cumplir con las cláusulas testamentarias del marqués, el año de 1566 sus deudos dispusieron el traslado de sus restos mortales para darles sepultura junto con su madre y su primer hijo, Luis, en la iglesia de San Francisco, en la ciudad de Texcoco, en la Nueva España.

En el año de 1629 se realizó un nuevo traslado de los restos al convento de San Francisco el grande, en la ciudad de México, para depositarlos en la capilla mayor y en 1716 se cambiaron a la parte posterior del altar mayor de la misma iglesia.

Como el convento de Coyoacán, que Cortés estableció como lugar de su entierro, nunca fue construido, en 1794 sus sucesores dispusieron otro traslado de sus restos, esta vez a la iglesia de Jesús Nazareno, anexa al Hospital de Jesús, obra pía del propio conquistador. Para depositar los restos de Cortés fue construido un suntuoso monumento, obra del arquitecto José del Mazo, en el cual se colocó un busto del capitán realizado en bronce dorado, por el famoso arquitecto y escultor Manuel Tolsá.

En el año de 1823, con motivo de celebrar la independencia nacional, se corrió el rumor de que serían exhumados los restos de Cortés para arrastrarlos por las calles de la ciudad. Don Lucas Alamán, como apoderado de los duques de Terranova y Monteleone, descendientes de Cortés, previendo la profanación de la tumba, cambió en secreto los huesos –la noche del 15 de septiembre– a un lugar en el suelo, junto al altar mayor de la iglesia de Jesús Nazareno. Envió el busto realizado por Tolsá a los descendientes y difundió el rumor de

Última morada de Cortés

El Presidente de la República Mexicana que declaró monumento nacional histórico el lugar en donde por más de ciento cincuenta años permanecieron los restos de Cortés, y ordenó que una de las más importantes instituciones oficiales los repusiera con decoro en aquel sitio; los secretarios de Educación Pública que con verdadero interés cuidaron de que se llevara a buen término aquel acuerdo, han demostrado al mundo que México vive ya en muy alto grado de cultura, que le permite mantener con respeto los restos mortales de aquel cuyos hechos se recordarán en siglos y siglos por venir.

ALBERTO MARÍA CARREÑO, *HERNÁN CORTÉS Y EL DESCUBRIMIENTO DE SUS RESTOS.*

que los restos del conquistador habían sido también enviados a Italia.

Debido a los remordimientos acerca del lugar poco digno en donde habían quedado los restos mortales del marqués, en 1836 el propio Lucas Alamán decidió cambiarlos, también en secreto, a un lugar más adecuado, el muro de la misma iglesia del lado del Evangelio. Alamán y las demás personas que participaron en la exhumación y el entierro de los restos, juraron guardar en secreto el lugar exacto y escribieron una acta pormenorizada del sitio como de la forma en que fueron depositados. En 1843, el distinguido historiador y político depositó dicha acta en la embajada de España, lugar en donde permaneció durante 103 años.

En el año de 1946, debido a los cambios políticos acaecidos en España, la embajada se encontraba en poder de la "República Española en el exilio" y en esas circunstancias los señores Fernando Baeza, exiliado español, y el historiador cubano Manuel Moreno Franginals, hicieron una copia de la mencionada acta, comunicando su hallazgo y contenido a los historiadores Alberto María Carreño y Francisco de la Maza.

Los trabajos de exhumación de los restos se iniciaron, pidiendo con anticipación los permisos correspondientes; el 24 de noviembre en las primeras horas de la mañana, participaron en ellos los señores Carreño, Baeza, Moreno y De la Maza. Al anochecer, bajo la luz mortecina de un foco, los improvisados albañiles lograron llegar por fin hasta la oquedad en donde se encontraba depositado el ansiado cofre funerario. La alegría por el éxito, la profunda emoción por el hallazgo y el natural cansancio obligó a los descubridores a dejar para el siguiente día la extracción y apertura del mencionado cofre. Informaron de su éxito al doctor Benjamín Trillo, director del hospital y dejaron bajo su personal custodia el fruto de su hallazgo.

Al día siguiente, 25 de noviembre de 1946, para sorpresa de los descubridores, cuando llegaron al templo –entonces clausurado por la arbitrariedad– se encontraron con una multitud de curiosos, periodistas y fotógrafos que abarrotaban las calles de Pino Suárez y República de El Salvador. Junto con los descubridores que sacaron el cofre de su nicho, atestiguaron el encuentro de los restos del conquistador de la Nueva España: doctor José Torres Torija, jefe de la Beneficencia Privada, don Alfonso Alamán, bisnieto del historiador don Lucas Alamán, licenciado Bernardo Iturriaga, representante oficial de la Secretaría de Hacienda, arquitecto José García Preciat, subdirector del Departamento de Bienes Nacionales, don Manuel Toussaint, jefe del Instituto de Investigaciones Estéticas de la Universidad Nacional, don Manuel Romero de Terreros, miembro de la Academia de la Historia, don Rafael García Granados, presidente de la Sociedad de Estudios Cortesianos, doctor Pablo Martínez del Río, director de la Escuela Nacional de Antropología y del Instituto de Historia de la Universidad Nacional, licenciado Javier de Cervantes y Anaya, jefe del Departamento Jurídico de la Secretaría de Educación Pública, licenciado Joaquín Oseguera Iturbide, notario del Hospital de Jesús, don Federico Gómez de Orozco, catedrático de la Facultad de Filosofía y Letras, descendiente del conquistador, el licenciado Gustavo Espinosa Mireles, secretario particular del ex presidente Lázaro Cárdenas, doctor Benjamín Trillo, director del Hospital de Jesús, don Javier Romero, estudiante de la Universidad Católica de Lima y varios periodistas de esta capital. Levantó el acta correspondiente de todo lo que allí aconteció el señor licenciado Manuel Andrade, notario público del Distrito Federal.

Los restos mortales de Cortés se encontraban en un cofre de madera de cedro, dentro de él había otro hecho de plomo adosado a la madera, guardando dentro una urna de cristal que contenía los huesos del conquistador y de su nieto, don Pedro. El cráneo del capitán se "encontró roto y separado en una porción que comprende el molar izquierdo, la porción orbitaria del frontal, la mitad del parietal izquierdo y del occipital y la porción izquierda de la base del cráneo comprendiendo el cóndilo occipital", estaba envuelto en un rico pañuelo bordado con una blonda negra alrededor, sobre una almohadilla y toda la osamenta estaba cubierta con tela del más fino cambray, asimismo se encontró adentro del cofre una copia del acta levantada por don Lucas Alamán y en un sobre, con restos de la primitiva envoltura del cuerpo que lucía, bordada en oro la inicial "C". En los siguientes días, se hizo un peritaje de los restos por los doctores don Benjamín Trillo, don Daniel Rubín de la Borbolla y don José Torres Torija, quienes certificaron su autenticidad.

El día 9 de julio de 1947 se procedió a la reinhumación de los restos en el mismo lugar en donde fueron encontrados, colocándose en el muro una placa de bronce diseñada por el arquitecto José Gorbea y que hasta la actualidad podemos ver, en la parte superior de la placa luce el escudo de armas concedido por Carlos V a Cortés como premio a sus servicios y que se describe: en el cuartel superior derecho una águila explayada, que alude al monarca Habsburgo al que sirvió Cortés. En el cuartel superior izquierdo, tres coronas para simbolizar los reinos confederados de Tenochtitlan, Texcoco y Tacuba, que él conquistó, en el cuartel inferior derecho, un león rampante, para simbolizar el esfuerzo del capitán, mientras que en el inferior izquierdo, la ciudad de México, reedificada por el propio Cortés. Por último, en el centro del escudo se encuentran las antiguas armas de la familia Cortés, que son las de los Rodríguez de las Varillas. El escudo está rodeado por una cadena con cabezas de los caciques conquistados y timbrado con la corona de marqués. Bajo el escudo, está la leyenda: "HERNÁN CORTÉS. 1485-1547".

Los restos mortales del conquistador de la Nueva España reposan en paz en el mismo sitio desde hace 166 años. Es probable que en la actualidad a nadie se le ocurra intentar su profanación. Sin embargo, también es cierto que a casi quinientos años de haberse concluido la toma de Tenochtitlan, el mexicano aún no ha sido capaz de imponer en definitiva la concordia en su sangre, todavía no entiende de una vez y por todas que su ser, su cultura y su patria son mestizas, son el producto de la fusión del indio y el español, dos linajes egregios de los cuales puede sentirse igualmente orgulloso, por eso ya es tiempo, dice Andrés Henestrosa, de que Cuauhtémoc deponga su honda y Cortés guarde su espada.

1485

Nace Hernán Cortés en Medellín, Reino de la Extremadura, España.

1499

Se va a Salamanca para estudiar.

1500-1501

Abandona los estudios.

1502-1503

En Valladolid, España, aprende el oficio de escribano.

1504

Viaja a Santo Domingo, en la flota de Alonso Quintero.
Es escribano en la villa de Azúa.

1511

Va con Diego Velázquez a la conquista de Cuba.
Es secretario del propio Velázquez. Alcalde de Santiago de Baracoa.

1514-1515

Contrae nupcias con Catalina de Xuárez, *la Marcayda*.

1517

8 de febrero. Sale de Santiago de Cuba la expedición de Francisco

Hernández de Córdoba, en la cual descubre Yucatán, Campeche y Champotón.

1518

18 de abril. Sale de Santiago de Cuba la expedición de Juan de Grijalva.

23 de octubre. Designa Velázquez a Cortés como capitán de una nueva expedición a tierras mexicanas.

1519

11–18 de febrero. Sale de la isla de Cuba la expedición de Cortés.

Hacia 27 de febrero. Llega la expedición a Cozumel.

22 de marzo. Llega al río Grijalva, en Tabasco.

25 de marzo. Batalla de Centla.

15 de abril. Cortés recibe a la *Malinche,* en Tabasco.

21 de abril. Llega a la isla de San Juan de Ulúa en Veracruz.

22 de abril. Fundación de la Villa Rica de la Veracruz.

Hacia 24 de abril. Llegan los mensajeros de Moctezuma con regalos.

15-25 de mayo. Creación del Cabildo de la Villa Rica de la Veracruz que nombra a Cortés como capitán general y Justicia mayor.

1-3 de junio. Viaje a Zempoala.
26 de julio. Salen los procuradores Hernández Portocarrero y Montejo a Castilla con cartas y presentes para Carlos V.

Julio. Cortés barrena sus naves.

16 de agosto. Salida de Zempoala hacia la ciudad de Tenochtitlan.

1-10 de septiembre. Combate contra los tlaxcaltecas.

18-23 de septiembre. Llega a la cabecera de Tlaxcala. Diego de Ordaz asciende al Popocatépetl.

11 de octubre. Salida de Tlaxcala.

12 de octubre. Llegada a

Cholula.

1 de noviembre. Cortés toma prisionero a Moctezuma.

1520

Principios de mayo. Llega la expedición de Narváez.

10 de mayo. Sale Cortés a Zempoala.

Mediados de mayo. Matanza del Templo Mayor en la capital azteca.
Guerra de los mexicas contra los españoles.

27-28 de mayo. Prisión de Narváez en Zempoala y derrota de su expedición.

24 de junio. Cortés vuelve a Tenochtitlan.

27-28 de junio. Muerte de Moctezuma. Lo sucede Cuitláhuac.

7 de julio. Batalla de Otumba.

8 de julio. Llegada a Tlaxcala.

Fines de julio. Conquista de Tepeaca.

30 de octubre. Firma en Segura de la Frontera segunda Carta de Relación. Cortés cumple 35 años.

Octubre. Se inicia la construcción de los 13 bergantines en Tlaxcala.

25 de noviembre. Muere Cuitláhuac de viruela.
Cuauhtémoc es elegido señor de Tenochtitlan.

22 de diciembre. Ordenanzas militares. Tlaxcala.

1521

30 de mayo. Se inicia el sitio de Tenochtitlan.

28 de junio-6 de julio. En Santiago de Cuba, Diego Velázquez promueve una información con acusaciones en contra de Hernán Cortés.

13 de agosto. Captura de Cuauhtémoc y rendición de Tenochtitlan.

24-30 de diciembre.
Cristóbal de Tapia llega a Zempoala como gobernador de la Nueva España. No se aceptan sus provisiones.
Fines de noviembre o enero siguiente. Se inicia la construcción de la nueva

ciudad de México en los restos de Tenochtitlan.

1522

15 de mayo. Fecha de la tercera Carta de Relación en Coyoacán.

Hacia julio. Los procuradores Quiñónez y Ávila salen de Veracruz rumbo a España con un tesoro que Cortés envía al rey. Envía también la tercera Carta de Relación que llega a su destino.

Julio a agosto. Llega a Coatzacoalcos la primera esposa de Cortés, Catalina de Xuárez, la Marcayda.

15 de octubre. Carlos V firma la Real Cédula nombrando a Cortés gobernador, capitán general y justicia mayor de la Nueva España.

1 de noviembre. Muere Catalina de Xuárez.

Diciembre. Se constituye el cabildo de la ciudad de México

1523

Mayo. Cortés recibe la Cédula Real que lo nombra gobernador, capitán general y justicia mayor.

Mediados de año. Comienza a habitarse la nueva ciudad de México

13 de agosto. Llegan a Veracruz los tres franciscanos flamencos, Tecto, Ahora y Gante.

1524

11 de enero. Sale de Veracruz la expedición al mando de Cristóbal de Olid, para explorar las Hibueras.

20 de marzo. Ordenanzas de Cortés para poblar el territorio.

13 de mayo. Llega a Veracruz el grupo de los doce franciscanos encabezado por fray Martín de Valencia.

Principios de junio. Cortés envía cuatro navíos con 150 soldados a las Hibueras, al mando de Francisco de las Casas, para buscar a Cristóbal de Olid.

12 de octubre. Sale de la capital novohispana la expedición de Cortés a las Hibueras. Deja como tenientes de gobernador a

Estrada y a Albornoz, así como justicia mayor al licenciado Zuazo.

29 de diciembre. Salazar y Chirinos presentan al cabildo la provisión de Cortés, la cual los nombra lugartenientes en lugar de Estrada y Albornoz.

1525

28 de febrero. Cuauhtémoc y Tetlepanquétzal son ahorcados por orden de Cortés en Acalan.

7 de marzo. El rey firma en Madrid las cédulas nombrando a Cortés adelantado de la Nueva España y concediéndole un escudo de armas.

Fines de mayo. Zuazo es apresado y enviado a Cuba.

Hacia julio. Salazar y Chirinos toman el gobierno de la Nueva España.

Fines de agosto. Rodrigo de Paz es ahorcado.

Fines de año. Salazar y Chirinos se apoderan de los bienes de Cortés.

1526

29 de enero. Llega a la ciudad de México, Martín Dorantes con cartas de Cortés, revocando los poderes de Salazar y Chirinos, además nombraba a Francisco de las Casas como teniente de gobernador. En ausencia de éste, el cabildo nombra a Estrada y Albornoz tenientes de gobernador, y alcalde ordinario a Juan Ortega.

Hacia febrero o marzo. Los partidarios de Cortés apresan a Salazar y a Chirinos, para después encerrarlos en una jaula.

25 de abril. Cortés inicia el regreso por mar desde Honduras (las Hibueras).

24 de mayo. Llega Cortés a Chalchicuecan y emprende viaje rumbo a la ciudad de México. Hacia el 19 de junio. Cortés llega a la ciudad de México y reasume su gobierno.

20 de junio. Carlos V ordena a Cortés que prepare una armada para auxiliar en las Molucas, a Jofre de Loaisa.

2 de julio. Llega el juez Luis Ponce de León, para tomarle juicio de residencia y quitarle la gobernación.

20 de julio. Muere Ponce de León y deja como gobernador a Marcos de Aguilar.

3 de septiembre. Firma en México la quinta y última Carta de Relación.

5 de septiembre. Marcos de Aguilar obliga a Cortés a renunciar a los cargos de capitán general y repartidor de los indios.

1527

1 de marzo. Muere Marcos de Aguilar, gobernador y justicia mayor.

Marzo-agosto. Gonzalo de Sandoval y Alonso de Estrada sustituyen a Aguilar en el gobierno de la Nueva España.

28 de mayo. Instrucciones de Cortés a Álvaro de Saavedra Cerón para el viaje a las Molucas, con el fin de auxiliar a la armada de Jofre de Loaisa.

Hacia septiembre Cortés es desterrado de la ciudad de México regresa a Coyoacán, después a Texcoco y Tlaxcala.

31 de octubre. Salen de Zihuatanejo hacia las Molucas tres naves al mando de Saavedra Cerón.

1528

5 de abril. Carlos V envía instrucciones a Cortés para que viaje a España. En la misma fecha, el rey firma instrucciones para que la Audiencia haga un juicio de residencia a Cortés.

Mediados de abril. Cortés sale de Veracruz rumbo a España.

Fines de mayo. Llega al puerto de Palos.

Julio. Primera entrevista con el emperador Carlos V en Toledo.

9 de diciembre. El gobierno de la primera Audiencia, con Nuño de Guzmán como presidente y los licenciados Juan Ortiz de Matienzo y Diego Delgadillo como oidores, además de Alonso

de Parada y Francisco Maldonado, quienes mueren. Con oidores, que llegan a la ciudad hacia el 6 de diciembre, viene el obispo electo fray Juan de Zumárraga, nombrado además Protector de los Indios.

1529

Enero. Se inician en la ciudad de México los interrogatorios de los testigos en el juicio de residencia de Cortés.

Abril. Cortés viaja a Zaragoza con Carlos V.

16 de abril. Envía a Roma a Juan de Rada, ante el papa Clemente VII, obtiene en esta fecha bulas legitimando a tres de sus hijos y concediéndole el patronato del Hospital de la Concepción y los diezmos de sus tierras.

Abril. Contrae nupcias en Béjar con doña Juana de Zúñiga, hija del Conde de Aguilar.

6 de julio. Recibe del rey las cédulas de mercedes y honores: merced de 23,000 vasallos en 22 pueblos, el título de marqués del Valle de Oaxaca y un nuevo nombramiento como capitán general de la Nueva España y del Mar del Sur.

27 de octubre. Capitulación de la reina con Cortés para descubrimientos en el Mar del Sur.

1530

22 de marzo. La reina ordena a Cortés que a su llegada a la Nueva España, se detenga a diez leguas de la capital novohispana hasta la llegada de la segunda Audiencia.

Hacia marzo. Cortés viaja a la Nueva España con una comitiva de 400 personas, entre ellas su mujer doña Juana de Zúñiga y su madre doña Catalina Pizarro.

Hacia abril–junio. La comitiva se detiene dos meses y medio en Santo Domingo.

15 de julio. Llegada a Veracruz. Agosto de 1530-enero de 1531. Llegada a Texcoco y fallece la madre de Cortés.

1531

9 de enero. Llegan a la ciudad de México los oidores de la segunda Audiencia, Alonso de Maldonado, Vasco de Quiroga, Francisco Ceynos y Juan de Salmerón. Cortés ya puede entrar a la ciudad.

Enero. Cortés se instala en Cuernavaca.

30 de septiembre. Llega a la capital de la Nueva España don Sebastián Ramírez de Fuenleal, presidente de la Audiencia.

1532

30 de junio. Primera expedición al Mar del Sur. Salen de Acapulco dos naves al mando de Diego Hurtado de Mendoza.

Noviembre de 1532-octubre de 1533. Cortés se instala en Tehuantepec para supervisar el astillero.

1533

30 de octubre. Segunda expedición al Mar del Sur. Salen de Santiago de Colima dos naves al mando de Diego Becerra y Hernando de Grijalva.

1535

15 de abril. Tercera expedición al Mar del Sur. En Chametla, Sinaloa, territorio de Nueva Galicia, se encuentran tres naves de Cortés y el ejército que él mismo condujo por tierra, por lo que inician el transporte de las huestes a la bahía de Santa Cruz-La Paz, Baja California.

14-15 de noviembre. Llega a la ciudad de México el primer virrey de la Nueva España, don Antonio de Mendoza.

1536

Abril. Vuelve Cortés a Acapulco, luego de su expedición a Baja California. El 5 de junio está en Cuernavaca. Envía dos naves al mando de Hernando de Grijalva al Perú, con soldados, armas, víveres y regalos a Francisco Pizarro, quien se encontraba sitiado en Lima.

1539

8 de junio. Cuarta expedición al Mar del Sur. De Acapulco salen tres navíos al mando de Francisco de Ulloa

24 de agosto. El virrey Mendoza dispone el control

de todos los navíos que salgan o entren de los puertos del Mar del Sur, más tarde ordena que se tome el astillero de Tehuantepec con todos sus navíos y aparejos.

Diciembre de 1539 o enero de 1540. Cortés se embarca para España con su hijo Martín, el sucesor.

1541

25 de octubre. Derrota de Argel. Se enrola en el ejército con sus hijos Martín, el sucesor y Luis.

1544

Se instala en Valladolid.
3 de febrero. Última carta al emperador.

22 de septiembre. Pide al Consejo de Indias que se desista en su juicio de residencia, en vista de sus notorios servicios.

1546

7 de abril. Cortés se instala en la ciudad de Madrid.

Septiembre. Se traslada a Sevilla.

1547

30 de agosto. Agobiado por las deudas, empeña sus muebles y joyas en 6,000 ducados, al prestamista Jácome Boti.

11-12 de octubre. Dicta su testamento ante el escribano Melchor de Portes. Se traslada a Castilleja de la Cuesta, cerca de Sevilla.

2 de diciembre, viernes. Dicta un codicilio a su testamento para desheredar a su hijo Luis. Muere Hernán Cortés a la edad de 62 años, lo acompañan su hijo Martín, el sucesor, fray Pedro de Zaldívar, prior del monasterio de San Isidro del Campo, fray Diego Altamirano, su primo y el dueño de la casa, Juan Rodríguez de Medina.

3 de diciembre. Se abre y se lee su testamento.

4 de diciembre. A las tres de la tarde, sale el cortejo de Castilleja de la Cuesta para enterrar los restos de Hernán Cortés en la cripta del duque de Medina Sidonia, en la villa de Santiponce, cerca de Sevilla.

1550

9 de junio. Se trasladan sus

restos al altar de Santa Catarina.

1566
Se trasladan los restos de Cortés a la Nueva España, para ser enterrados en el convento de San Francisco, en Texcoco.

1629
Una vez más son trasladados los restos de Cortés, pero ahora al convento de San Francisco el grande, en la ciudad de México.

1716
Se cambian los restos de Cortés al altar mayor de la misma iglesia.

1794
Traslado de los restos de Cortés a la iglesia del Hospital de Jesús.

1823
15 de septiembre. Lucas Alamán cambia en secreto los restos de Cortés, para sepultarlos en el piso de la misma iglesia.

1836
El mismo Lucas Alamán vuelve a cambiar en secreto los restos de Cortés, pero ahora al muro de la misma iglesia.

1946
25 de noviembre. Se realiza el descubrimiento de los restos de Cortés en el muro de la iglesia del Hospital de Jesús.

1947
9 de junio. Reinhumación de los restos de Cortés en el mismo lugar en el cual permanecen en la actualidad.

Alva Ixtlixóchitl, Fernando de. *Obras históricas,* México, UNAM. Instituto de Investigaciones Históricas, 1975.

Clavijero, Francisco, Javier. *Historia Antigua de México*, Facsímil, edición Aackermann, 1826, Universidad Veracruzana, Colección U. V. Rescate, Xalapa, Veracruz.

Cortés, Hernán, *Cartas de Relación*, México, Editorial Porrúa, 1983, Sepan Cuantos, 13a. edición.

Díaz del Castillo, Bernal. *Historia verdadera de la conquista de Nueva España,* México, Editorial Pedro Robredo, 1939.

Fuentes Mares, José, *Cortés el hombre*, México, Editorial Grijalbo,1981.

López de Gómara, Francisco, *Historia general de las Indias. II Conquista de México*, Madrid, Editorial Orbis, Biblioteca de Historia, 1985.

Madariaga, Salvador de, *Hernán Cortés*, Buenos Aires, 1941.

Martínez, José Luis, *Hernán Cortés*, México, UNAM. Fondo de Cultura Económica, 1990, 2a edición corregida.

Miralles, Juan, *Hernán Cortés. Inventor de México*, México, Tusquets, 2000, Tiempo de memoria.

Pereyra, Carlos, *Hernán Cortés*, México, Editorial Porrúa, 1970, Sepan Cuantos.

SOLÍS, Antonio de, *Historia de la conquista de México. Población y progresos de la América Septetentrional, conocida por el nombre de Nueva España*, México, Miguel Ángel Porrúa, 1988, primera edición facsimilar.

SUÁREZ DE PERALTA, Juan. *Tratado de las Indias*, México, Secretaría de Educación Pública, 1949.

THOMAS, Hugh, *La Conquista de México*, México, Editorial Patria, 1994.

VACA DE OSMA, José Antonio, *Hernán Cortés*, Madrid, Espasa Biografías, 2000.

VASCONCELOS, José, *Hernán Cortés*, México, Ediciones Xóchitl, 1947.

Visión de los vencidos, Relaciones indígenas de la conquista, México, UNAM, Biblioteca del Estudiante Universitario. Introducción, selección y notas de Miguel León Portilla. Versión de los textos nahuas de Ángel M. Garibay K., 1959.

ZORITA, Alonso de, *Relación de la Nueva España*, México, Conaculta, 1999, Cien de México.

1. Las mocedades

Entre el Guadiana y el Tormes, *5*
La carrera de Indias, *10*
Una boda por una empresa, *13*

2. Los trabajos de Odiseo

Las razones del leguleyo, *17*
Rumbo a la historia, *21*
La primera batalla, *24*
Por la legitimación de la obra, *27*
Los amadises de América, *30*
La gran alianza, *34*
Cosas jamás vistas ni oídas, *37*
Vasallos del emperador, 47

3. El vuelco de la fortuna

No hay mal que por bien no venga, *51*
Huir o morir, *57*
En pos de la revancha, *60*

4. Los dolores del parto

El principio del fin, *65*
Nuevas estrategias, *67*
Escribano, militar y marino, *71*
El águila que cae, *73*

5. El amanecer del sexto sol

El fin de un gran imperio, *79*

Acrecentando el reino, *83*

Organización del reino, *86*

6. Dos crímenes

Mejor lucro que justicia, *91*

Un nuevo traidor, *95*

Viaje de infortunio, *95*

7. Juicios y prejuicios

El declive, *99*

Más traiciones, *101*

Más procesos, *103*

8. El ocaso

De frente al César, *107*

El marqués del Valle de Oaxaca, *110*

Agricultor y empresario, *111*

Por la conquista del Pacífico, *112*

El fiel soldado del emperador, *116*

Los últimos días, *117*

El peregrinaje póstumo, *120*

Cronología, *127*

Bibliografía, *137*

Índice, *140*

Impreso en Liberdúplex, S. L.
Constitución, 19
08014 Barcelona